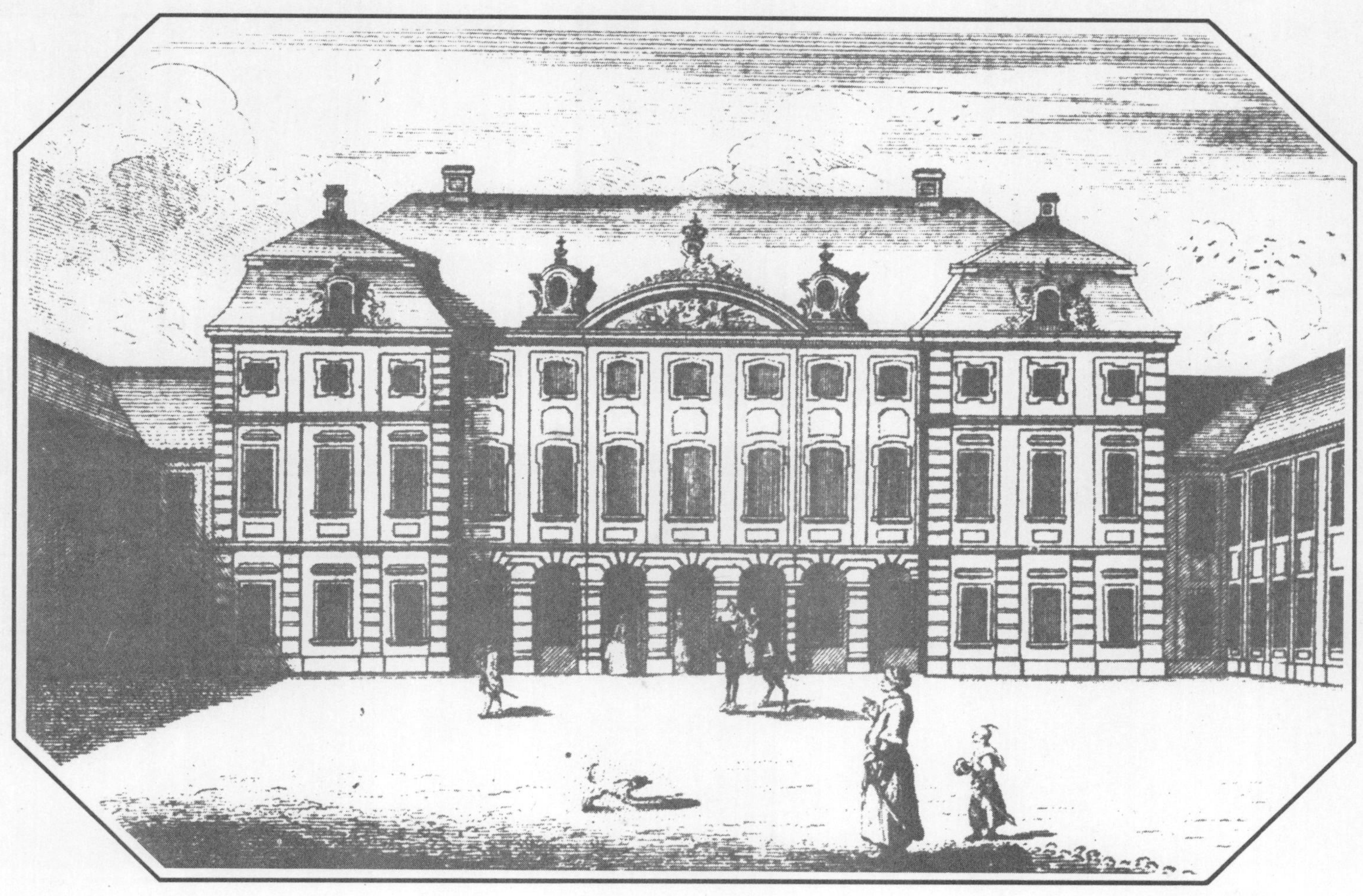

IV WIEKI STOŁECZNOŚCI WARSZAWY

400 YEARS OF WARSAW
AS THE CAPITAL OF POLAND

400 JAHRE HAUPTSTADT WARSCHAU

PAŁACE WARSZAWY

THE PALACES OF WARSAW
WARSCHAUER PALÄSTE

„Upłynął szybko życie,
Tak potok płynie czas.
Za rok, za dzień, za chwilę
Razem nie będzie nas....”

– Lecz póki co żyjemy!!!

Ku pamięci – Irenie

Irena Śniegiera
Sławek WOLSKI
Elżbieta Kavalus-Nowicka
Ewa Kmygrod-Kaligórska
Halina Gałtoszuk-Wolska
Małgorzata Sosnowska-Śmigiel
Ewa Błoiszczyk – Witwicka
Ryszard Cyfryński [illegible]
Bożena Wysocka
Teresa Szczepanik-Brzezińska
Jolanta Marijah-Szewczyk
Mirosława Olesczak
[illegible]

Łowicz, dnia 3.08.96 r.

PAŁACE WARSZAWY

THE PALACES OF WARSAW
WARSCHAUER PALÄSTE

TEKST

Tadeusz S. Jaroszewski

FOTOGRAFIE

Jan Morek

Radwan

Opracowanie graficzne
Designed by
Graphische Gestaltung
Hubert Hilscher

Album wydano
we współpracy
z Warszawską Fundacją Kultury

Published
by arrangement with
the Warsaw Culture Foundation

Erschienen in Zusammenarbeit
mit der Warschauer Stiftung
für Kultur

Od Autora

Książka, którą oddajemy do rąk Czytelników, zawiera podstawowe wiadomości o najpiękniejszych pałacach warszawskich i podwarszawskich. Oczywiście nie obejmuje ona wszystkich rezydencji z terenu Warszawy i okolic, a jedynie te, które wydawały się najciekawsze. Obok obiektów z XVII i XVIII w. prezentujemy pałace i wille powstałe w XIX, a nawet na początku XX w., do niedawna niesłusznie lekceważone i pomijane w opracowaniach tego rodzaju. Jest to książka o siedzibach arystokracji i bogatego mieszczaństwa, uwzględnia jednak pałace w Wilanowie i Łazienkach, należące wprawdzie do królów Jana III Sobieskiego i Stanisława Augusta Poniatowskiego, ale stanowiące ich własność prywatną, pomija natomiast Zamek Królewski – niegdyś siedzibę najwyższych władz państwowych, należącą do Rzeczypospolitej i oddawaną kolejnym monarchom w użytkowanie. Autor niniejszego tekstu opierał się na badaniach własnych i kolegów – historyków sztuki. Chętnie korzystał z tomików poświęconych poszczególnym pałacom, ukazujących się w ramach znakomitej serii Państwowego Wydawnictwa Naukowego „Zabytki Warszawy", oraz z niektórych prac magisterskich powstałych w Instytucie Historii Sztuki Uniwersytetu Warszawskiego.

Spośród prezentowanych tu obiektów tylko nieliczne uniknęły zniszczenia w czasie II wojny światowej; ocalały pałace: Belweder, Janaszów, Radziwiłłów (dziś nazywany Prezydenckim), Sobańskich, Elizy Wielopolskiej, Zamoyskich, Potockich w Natolinie, Krasińskich w Ursynowie, królewskie w Wilanowie i w Łazienkach. Wszystkie inne zostały po 1945 roku pieczołowicie odbudowane przez architektów i konserwatorów.

Zdecydowana większość zabytkowych siedzib warszawskich znajduje się na historycznym szlaku Zamek Królewski – Belweder, przy ulicy Miodowej oraz przy jej przecznicach – Długiej i Senatorskiej. Rzecz znamienna: pałaców nie budowano w obrębie murów Starej Warszawy, nie było tam bowiem dla nich miejsca; wznoszono je natomiast na otaczających Stare Miasto rozległych przedmieściach.

Zasadniczą cechą warszawskich pałaców powstałych w XVII i w XVIII w. jest obszerny dziedziniec honorowy od frontu, przy czym korpus główny budowli znajduje się w głębi tego dziedzińca, a jego boki ujmują skrzydła prostopadłe do korpusu głównego. Takie rozwiązanie prezentują m.in. pałac Potockich przy Krakowskim Przedmieściu i pałac Borchów przy ulicy Miodowej. Pałace wznoszone w linii zabudowy ulicy rozpowszechniły się stosunkowo późno, bo dopiero u schyłku XVIII w., typ ten przetrwał przez całe XIX stulecie. Do typu pałaców przyulicznych należą m.in. pałace Tyszkiewiczów przy Krakowskim Przedmieściu i Raczyńskich przy ulicy Długiej. Osobną grupę stanowią pałacyki-wille powstające w dobie stanisławowskiej, sytowane zazwyczaj na skraju skarpy wiślanej, a w XIX w. w Alejach Ujazdowskich i przy ulicy Foksal. Dla tej grupy budowli charakterystyczne są m.in. pałac Lubomirskich przy ulicy Puławskiej i pałac Śleszyńskich w Alejach Ujazdowskich. Wśród stylów warszawskich siedzib przeważa klasycyzm i różne odcienie renesansu, którymi tak chętnie posługiwali się architekci działający w XIX stuleciu.

Zachęcam do lektury tej książki, a następnie do skonfrontowania zmieszczonych w niej zdjęć z rzeczywistością. Życzę przyjemnych wędrówek po Warszawie i jej najbliższych okolicach.

Tadeusz Stefan Jaroszewski

From the Author

In this book the reader will find the most important information on some of the most beautiful palaces of Warsaw and environs. Not all the buildings have been included, only those believed to be the most interesting. Next to 17th and 18th century monuments, considerable attention has been devoted to the palaces and villas erected in the 19th and even early 20th century. Until recently, these buildings had been unjustly disregarded and omitted from publications of this kind.

This is a book about the private residences of the aristocracy and wealthy bourgeoisie, but it also deals with the Wilanów and Łazienki complexes, which indeed belonged to kings, John III Sobieski and Stanislaus Augustus Poniatowski respectively, but which were considered their private property. The Royal Castle has been omitted deliberately; once the seat of the highest state authorities and property of the Polish state, it was turned over to successive monarchs as their official residence.

The Author has taken advantage of his own research as well as of the studies of his fellow art historians. He has readily used the volumes devoted to particular palaces in the "Zabytki Warszawy" (Warsaw Monuments) series as well as MA theses written in the Institute of Art History of Warsaw University.

It should be emphasized that few of these buildings escaped destruction during the Second World War. The surviving palaces include the Belweder palace, that of the Janasz, Radziwiłł (now the Presidential palace), Sobański, Zamoyski families, of Eliza Wielopolska and of the Potockis at Natolin and the Krasińskis at Ursynów. Wilanów fortunately survived the war, as did some of the Łazienki pavilions. The others were painstakingly restored by architects and conservation experts after 1945.

It is hoped that the book will make readers want to visit the palaces which have been presented. But since it is not a guide in the strict sense of the word, it does not offer any specific itinerary around the city. The large residential complexes of Wilanów and Łazienki are included at the end.

Most of the ancient Warsaw residences line the historic tract running from the Belweder palace to the Royal Castle, along Miodowa street and in the vicinity of the intersections of this street with Długa and Senatorska streets. Notably, the palaces were never built inside the circuit walls of Old Warsaw – the available space there was hardly sufficient. They were built in the extensive suburbs surrounding the Old City.

The most important feature of Warsaw palaces erected in the 17th and 18th centuries is a large official courtyard which lies in front of the main corpus of the building; the wings flank the courtyard on either side. Palaces with elevations in line with street fronts represent a rather late trend which appeared at the end of the 18th century and was popular throughout the 19th century. A separate group is constituted by the palace-villas which were built in the times of the last Polish king, usually atop the Vistula escarpment, and the later 19th-century structures located on Ujazdowski Avenue and Foksal Street.

Classicism is the prevalent style among Warsaw residences, alongside a range of Renaissance variants so close to the hearts of architects of the 19th century.

I would encourage readers to reach for this book and then to compare reality with what they had admired in its pages. I hope it will help to initiate many an interesting and pleasant walk in Warsaw and its environs.

Tadeusz Stefan Jaroszewski

Vom Verfasser

Der den Lesern vorliegende Bildband enthält die wichtigsten Informationen über die schönsten Paläste von Warschau und Umgebung. Natürlich beinhaltet er nicht alle in Warschau und Umgebung vorhandenen Residenzen, sondern nur diejenigen, die am interessantesten sein dürften. Viel Aufmerksamkeit ist neben den Objekten aus dem 17. und 18. Jh. den im 19. Jh. und sogar zu Beginn des 20. Jh. entstandenen Palästen und Villen gewidmet worden, die bis vor kurzem zu Unrecht mißachtet und in derartigen Arbeiten übergangen worden sind. Es ist ein Buch über die Privatresidenzen der Aristokratie und des reichen Bürgertums. Gleichzeitig sind aber Schloß Wilanów und das Inselpalais im Łazienki-Park berücksichtigt worden, die zwar den Königen Johann III. Sobieski und Stanislaus August Poniatowski gehört haben, sich aber in deren Privatbesitz befanden. Bewußt außer acht gelassen ist dagegen das der Adelsrepublik Polen gehörige und einst als Amtssitz der höchsten Staatsorgane dienende Warschauer Königsschloß, das den einzelnen Monarchen nur zur Nutzung überlassen wurde. Der Verfasser des vorliegenden Textes hat sich auf eigene Untersuchungen und auf die Forschungen seiner Kunsthistorikerkollegen gestützt. Bereitwillig hat er auf die im Rahmen der ausgezeichneten Serie des wissenschaftlichen Staatsverlags PWN „Zabytki Warszawy" (Warschauer Denkmäler) erscheinenden Studien über die einzelnen Objekte sowie auf einige im Institut für Kunstgeschichte der Warschauer Universität geschriebene Diplomarbeiten zurückgegriffen.

An dieser Stelle möchte ich daran erinnern, daß nur wenige Objekte den Zerstörungen des zweiten Weltkriegs entgangen sind. Dabei handelt es sich um das Belvedere, den Janasz-Palast, den Radziwiłł-Palast (den heutigen Präsidentenpalast), das Sobański-Palais, das Eliza-Wielopolska-Palais, das Zamoyski-Palais, das Potocki-Palais in Natolin und den Krasiński-Palast in Ursynów. Durch glückliche Umstände sind Schloß Wilanów und einige Pavillons im Łazienki-Park unversehrt geblieben. Alle anderen sind nach 1945 von Architekten und Restauratoren pietätvoll wiederaufgebaut worden.

Der weitaus größte Teil der Denkmalswert besitzenden Warschauer Paläste liegt an der historischen Route vom Königsschloß zum Belvedere sowie in der Miodowa-Straße und ihren Querstraßen, der Długa- und der Senatorska-Straße. Kennzeichnend ist, daß innerhalb der Stadtmauern von Alt-Warschau keine Residenzen erbaut worden sind, weil es dort keinen Platz gab. Errichtet wurden sie dagegen in den ausgedehnten ehemaligen Vorstädten der Altstadt. Ein grundlegendes Merkmal der im 17. und 18. Jh. entstandenen Warschauer Paläste ist der weite Vorhof zur Straße hin, wobei das Hauptgebäude im Hintergrund dieses Hofes liegt und die rechtwinklig angeordneten Seitenflügel den Hof flankieren. Direkt in der Fluchtlinie der Straßen errichtete Bauten haben sich erst verhältnismäßig spät, nämlich am Ausgang des 18. Jh., durchgesetzt und waren dann das ganze 19. Jh. lang maßgebend. Eine Gruppe für sich bilden die in der Epoche von König Stanislaus August entstandenen Palais oder Villen, die üblicherweise am oberen Rand der Weichselböschung und im 19. Jh. auch in der Ujazdowskie-Allee und der Foksal-Straße errichtet wurden. Unter den Stilen der Warschauer Residenzen überwiegen der Klassizismus und die einzelnen Spielarten der Renaissance, derer sich die im 19. Jhr. wirkenden Architekten so gerne bedienten.

Anregen möchte ich zur Lektüre des Buches und zu einem anschließenden Vergleich der abgebildeten Objekte mit der Wirklichkeit. Ich wünsche Ihnen angenehme Wanderungen durch Warschau und schöne Ausflüge in die nähere Umgebung!

Tadeusz Stefan Jaroszewski

Pałac Komisji Rządowej Przychodów i Skarbu
The Palace of the Governmental Income and Treasury Commission
Palast der Regierungskommission für Einnahmen und Schatzangelegenheiten

Kiedy się patrzy na późnoklasycystyczne formy pałacu będące dziełem Antonia Corazziego, nie chce się wierzyć, że kryją one budowlę znacznie starszą, mianowicie pałac Bogusława Leszczyńskiego wzniesiony w latach 1650–1654 według projektu znakomitego architekta Giovanniego Battisty Gisleniego. Około 1730 roku pałac Leszczyńskiego przeszedł na własność Potockich, w latach siedemdziesiątych XVIII w. został przebudowany w duchu barokowo-klasycystycznym przez Szymona Bogumiła Zuga, wreszcie w latach 1823–1825 Antonio Corazzi nadał mu istniejący wygląd. Pałac przeznaczony był na siedzibę ministerstwa skarbu, noszącego w okresie Królestwa Polskiego nazwę Komisji Rządowej Przychodów i Skarbu. Korpus główny gmachu Corazzi wyposażył w wielki portyk koryncki, skrzydła boczne mają od strony dziedzińca niewielkie portyki jońskie, zaś od ulicy są zakończone monumentalnymi jońskimi kolumnadami. Pałac otrzymał staranną dekorację rzeźbiarską. Rzeźba we frontonie portyku głównego, dłuta Pawła Malińskiego, przedstawia Minerwę, Merkurego i Jazona (personifikacje Mądrości, Handlu i Przemysłu) oraz alegorie Wisły i Bugu. Płaskorzeźbiony fryz rozczłonkowujący poziomo elewacje korpusu głównego i skrzydeł, złożony z amorków z girlandami, jest prawdopodobnie dziełem Mikołaja Vincentiego.
Pałac sąsiaduje z pałacem Ministrów Skarbu oraz gmachem Banku Polskiego – również dziełami Corazziego, tworząc niezwykle harmonijną całość. Dla zespołu tego Corazzi chciał stworzyć odpowiednią oprawę urbanistyczną. Projektował przebicie ulicy łączącej powiększony plac Bankowy z ulicą Bielańską. Nowa ulica miała być skierowana na portyk główny pałacu Komisji Rządowej Przychodów i Skarbu. Projekt ten zrealizowano dopiero po ostatniej wojnie i nowo wytyczonej ulicy nadano miano Corazziego. W latach 1919–1921 pałac gruntownie odnowiono pod kierunkiem Mariana Lalewicza i przeznaczono na siedzibę Ministerstwa Skarbu Polski Odrodzonej. We wrześniu 1939 roku pałac spłonął od bomb niemieckich. Odbudowano go w latach 1950–1954 pod kierunkiem Piotra Biegańskiego dla Prezydium Stołecznej Rady Narodowej. Obecnie w pałacu mieści się Urząd Miasta Stołecznego Warszawy. Na klatce schodowej korpusu głównego umieszczono po wojnie popiersie Juliusza Słowackiego i wmurowano tablicę z następującym napisem:
TU W LATACH 1829–1831 W KOMISJI RZĄDOWEJ PRZYCHODÓW I SKARBU PRACOWAŁ JULIUSZ SŁOWACKI.

URZĄD MIASTA
STOŁECZNEGO
WARSZAWY

Pałac Komisji Rządowej Przychodów i Skarbu
The Palace of the Governmental Income and Treasury Commission
Palast der Regierungskommission für Einnahmen und Schatzangelegenheiten

Presently the seat of the Warsaw Municipality, the palace was built for Bogusław Leszczyński by architect Gianbattista Gisleni in 1650–1654. About 1730 it became the property of the Potocki family. In the 1770s, architect Szymon Bogumił Zug rebuilt it in the baroque and classicistic style; in 1823–1825, Antonio Corazzi gave it its present late classicistic appearance. At the time the palace housed the Ministry of the Treasury of the Kingdom of Poland (known then as the Income and Treasury Commission). Destroyed in 1939, the building was reconstructed in 1950–1954 and turned into the headquarters of the town authorities.

Der Palast, in dem heute die Warschauer Stadtverwaltung amtiert, ist in den Jahren 1650–1654 entstanden, erbaut vom Architekten Gianbattista Gisleni für Bogusław Leszczyński. Um 1730 ging er in den Besitz der Potockis über. In den siebziger Jahren des 18. Jh. baute der Architekt Simon Gottlieb Zug ihn in barock-klassizistischem Geiste um, und schließlich verlieh ihm Antonio Corrazzi 1823–1825 seinen heutigen spätklassizistischen Charakter. Damals war der Palast der Amtssitz des Schatzministeriums des Königreichs Polen, das Regierungskommission für Einnahmen und Schatzangelegenheiten hieß. Im September 1939 zerstört, wurde der Palast 1950–1954 als Amtssitz der Stadtverwaltung wiederaufgebaut.

HALL I KLATKA SCHODOWA
HALL AND STAIRCASE
EINGANGSHALLE UND TREPPENHAUS

PORTYK KORPUSU GŁÓWNEGO
MAIN PORTICO
PORTIKUS DES HAUPTGEBÄUDES

MINERWA, MERKURY, JAZON ORAZ
ALEGORIE WISŁY I BUGU – RZEŹBY
NA FRONTONIE PORTYKU GŁÓWNEGO
MINERVA, MERCURY, JASON AND
ALLEGORIES OF THE VISTULA AND BUG
RIVERS, SCULPTURES IN THE PEDIMENT
OF THE PORTICO
MINERVA, MERKUR, IASON UND
ALLEGORIEN DER WEICHSEL UND DES BUG –
SKULPTUREN AUF DER FASSADE
DES HAUPTPORTIKUS

Pałac Ministrów Skarbu
The Palace of the Minister of the Treasury
Palast der Schatzminister

Powstał w latach 1825–1830 w wyniku gruntownej przebudowy barokowego pałacu Ogińskich dokonanej przez Antonia Corazziego. Przeznaczony był na siedzibę ówczesnego ministra skarbu, księcia Ksawerego Druckiego-Lubeckiego. Corazzi nadał budowli charakter renesansowy, kształtując ją na wzór willi włoskiej okresu Odrodzenia. Wrażenie to potwierdzają zwłaszcza wielkie tarasy rzadko spotykane w naszym klimacie. Gmach, jak wszystkie dzieła Corazziego, odznacza się doskonałymi proporcjami i umiejętnym zestawieniem brył. W latach 1919–1921 budynek został starannie odrestaurowany przez Mariana Lalewicza na potrzeby ministerstwa skarbu. Po zniszczeniach wojennych odbudowano go w latach 1950–1954 pod kierunkiem Piotra Biegańskiego i wraz z sąsiednim pałacem Komisji Rządowej Przychodów i Skarbu przeznaczono na siedzibę Prezydium Stołecznej Rady Narodowej. Obecnie w pałacu mieści się również Urząd Miasta Stołecznego Warszawy.
Pomiędzy arkadami parteru wmurowane są dwie tablice: pierwsza z nich upamiętnia obrady Klubu Jakobinów odbywające się u schyłku XVIII w. w pałacu Ogińskich, druga poświęcona jest Antoniemu Corazziemu. Odsłonięto ją 26 kwietnia 1977 roku w stuletnią rocznicę śmierci zasłużonego dla Warszawy architekta.

The palace was erected in 1825–1830 as a result of a total rebuilding of the baroque Ogiński palace, completed by Antonio Corazzi. The architect gave it a neo-Renaissance character. Damaged in the war, the palace was rebuilt in the years 1950–1954.
It is the seat of the Warsaw Municipality.

Der Palast entstand in den Jahren 1825–1830 durch einen von Antonio Corazzi vorgenommenen grundlegenden Umbau des Ogiński-Palastes. Der Architekt verlieh dem Gebäude dabei Renaissancecharakter. Im Krieg zerstört, wurde der Palast 1950–1954 wiederaufgebaut. Er ist der Amtssitz der Warschauer Stadtverwaltung.

Pałac Błękitny
The Blue Palace
Blauer Palast

Nazwa pałacu pochodzi od koloru dachu, który nakrywał rezydencję w XVIII w. Mimo że dach ten przestał istnieć już przed ponad stu osiemdziesięciu laty, nazwa pozostała. Historia rezydencji rozpoczyna się u schyłku XVII w., kiedy teren ten należał do Teodora Potockiego, biskupa warmińskiego, później prymasa Polski. Dokładna data wzniesienia pałacu nie jest znana, historycy przypuszczają, że nastąpiło to w końcu XVII lub na początku XVIII w. Nie wiemy, jak pałac wówczas wyglądał. W 1721 roku Teodor Potocki podarował swoją siedzibę bratu Stefanowi, długoletniemu marszałkowi nadwornemu koronnemu. Stefan Potocki zaledwie pięć lat cieszył się darowizną. Jego pałac leżący w bezpośrednim sąsiedztwie rezydencji królewskiej zwrócił uwagę Augusta II w chwili, gdy ten poszukiwał miejsca na siedzibę dla swej córki hr. Anny Orzelskiej.

Potocki odstąpił pałac w 1726 roku królowi, który w tym samym roku przekazał go w użytkowanie hrabinie. Niezwłocznie rozpoczęto jego gruntowną przebudowę w stylu późnego baroku pod kierunkiem trzech wybitnych architektów: Karola Fryderyka Pöppelmanna, Joachima Daniela Jaucha oraz Jana Zygmunta Deybla. Dawny pałac Potockich stał się teraz korpusem główym nowego założenia. Wybudowano przy nim skrzydła boczne sięgające ulicy Senatorskiej ujmujące po bokach dziedziniec honorowy i wzniesiono obszerne oficyny gospodarcze na zachód od właściwego pałacu. Korpus główny nakrywał wspomniany już blaszany dach, tzw. mansardowy, pomalowany na kolor błękitny. Za pałacem rozciągał się niewielki ogród z fontannami, kaskadą i oranżerią. Wnętrza pełne malowideł, ozdobione były ponadto rokokowymi boazeriami i sztukateriami.

Anna Orzelska, uznawana za jedną z najpiękniejszych kobiet owego czasu, była naturalną córką Augusta II i Henrietty Renard (córki warszawskiego kupca winnego) urodzoną około roku 1707. Jej świetna kariera rozpoczęła się z chwilą odnalezienia jej przez brata przyrodniego, hr. Fryderyka Augusta Rutowskiego (syna Augusta II i Turczynki Fatimy), który przedstawił ją w przebraniu męskim królewskiemu ojcu. Pałac warszawski hr. Orzelskiej pozostał na długo widomym symbolem świetnej kariery pięknej Anusi. „Lud warszawski utrzymywał – wspomina historyk Warszawy Kazimierz Władysław Wójcicki – że istnieje podziemny korytarz, który pałac ten łączył z pałacem Saskim wygodnym i tajemnym przejściem".

Anna Orzelska wydana za mąż za księcia Karola Ludwika von Holstein-Beck opuściła Warszawę, a pałac odstąpiła w 1730 roku Augustowi II. Król w tym samym roku odstąpił go Marii Zofii z Sieniawskich Denhoffowej w zamian za dożywocie Wilanowa. Transakcja ta okazała się dla Denhoffowej bardzo korzystna, bo zyskała piękny pałac w stolicy, a rezydencja wilanowska wróciła do niej po śmierci króla w roku 1733. W roku 1731 Maria Zofia Denhoffowa poślubiła księcia Augusta Aleksandra Czartoryskiego, późniejszego wojewodę ruskiego. W okresie, kiedy zamieszkiwała wraz z mężem w pałacu Błękitnym, nie dokonywano w nim poważniejszych prac. Później pałac przeznaczono na mieszkanie dla ich syna księcia Adama Kazimierza, jednego z najbardziej oświeconych magnatów polskich tego czasu, wybitnego mecenasa sztuki, który w 1761 roku poślubił Izabellę z Flemmingów. W latach 1766–1768 przebudowano dla księżny Izabelli apartament parterowy według projektu i pod kierunkiem Jakuba Fontany. Następna przebudowa pałacu miała miejsce w latach 1770–1781 pod kierunkiem Efraima Schroegera. Rozszerzono wówczas korpus główny dodając w fasadzie po jednym oknie z każdego końca. Widok pałacu po tej przebudowie pozostawił znany malarz wenecki pracujący wówczas w Warszawie Bernardo Bellotto zwany Canaletto.

W roku 1782 pałac w wyniku działów rodzinnych stał się własnością księcia Adama Kazimierza Czartoryskiego. W roku 1811 przeszedł na własność ordynata Stanisława Zamoyskiego, ożenionego z córką księcia Adama Kazimierza Czartoryskiego i Izabelli z Flemmingów, słynną z piękności Zofią. Stanisław Zamoyski niezwłocznie przystąpił do gruntownej przebudowy pałacu. Sporządzenie projektu zlecił Fryderykowi Albertowi Lesslowi, należącemu do grona najwybitniejszych architektów warszawskich czynnych w pierwszej połowie XIX w. Lessel zmienił zupełnie dotychczasowy wygląd pałacu nadając mu piętno surowego i oszczędnego w środkach wyrazu klasycyzmu. Roboty przy pałacu prowadzono w latach 1812–1815, ostatecznie przebudowę całego kompleksu zabudowań ukończono w 1819 roku. Na fasadzie umieszczono napis: ROKU PRZYWRÓCENIA KRÓLESTWA. Miał on upamiętnić datę ukończenia przebudowy pałacu, a zarazem fakt ustanowienia na kongresie wiedeńskim Królestwa Polskiego, które uważano za częściowe przywrócenie niepodległości Polski.

W latach 1833–1838 zespół zabudowań pałacowych powiększył się o dwupiętrową oficynę przy ulicy Senatorskiej, dobudowaną do lewego skrzydła, wzniesioną według projektu Józefa Benedykta Schmidtnera.

W rękach rodziny Zamoyskich pałac pozostawał do 1945 roku. Do wybuchu ostatniej wojny mieściły się w nim wspaniałe zbiory artystyczne gromadzone przez kilka pokoleń Zamoyskich, a w specjalnie dobudowanym do prawego skrzydła pałacu pawilonie – słynna Biblioteka Ordynacji Zamojskiej. Pawilon ten został gruntownie przebudowany w latach 1866–1868 według projektu Juliana Ankiewicza, który nadał mu formy renesansowe. We wrześniu 1939 roku

ELEWACJA OGRODOWA · GARDEN FRONT · GARTENSEITE

WIDOK OD FRONTU · FRONT VIEW · VORDERANSICHT

w czasie bombardowania Warszawy pałac uległ niemal całkowitemu zniszczeniu wraz z bezcennymi dziełami sztuki i częścią księgozbioru. Odbudowę jego rozpoczęto w roku 1948 według projektu Bruna Zborowskiego i Zasława Malickiego. Pałac zachował do dziś wygląd nadany mu przez Fryderyka Alberta Lessla w pierwszej połowie XIX w. . Obecnie pałac zajmują biura Zarządu Transportu Miejskiego.

The name of the palace is drawn from the color of the roof of the 18th-century residence. At the turn of the 17th century the palace of the Primate Teodor Potocki existed on this spot; it later belonged to his brother Stefan. It was purchased in 1726 by King Augustus II of Saxony, who passed it on to his natural daughter Countess Anna Orzelska. The residence was soon completely rebuilt in the late baroque and rococo styles under the supervision of Carl Friedrich Pöpelmann, Joachim Daniel Jauch and Jan Zygmunt Deybel. Upon Orzelska's departure from Warsaw, the palace became the property of Maria Zofia Denhoff née Sieniawska, who was the wife of Prince August Aleksander Czartoryski since 1731. The building remained part of the Czartoryski estate until 1811. In 1766–1768, the architect Jakub Fontana renovated the ground floor apartments; in 1770–1781, Ephraim Schroeger rebuilt the main wing of the palace adding a window on either side. In 1812–1815, thanks to the new owner Count Stanisław Kostka Zamoyski, the structure was completely rebuilt. The architect Fryderyk Albert Lessel created a new, harshly neoclassical look. German bombing in 1939 caused the building to burn down. Its rebuilding started in 1948.

Der Name des Palastes ist von der Farbe des Daches abgeleitet, das die Residenz im 18. Jh. trug. Ende des 17. Jh., Anfang des 18. Jh. stand an dieser Stelle der Palast von Primas Teodor Potocki, der später dessen Bruder Stefan gehörte. Dieses Objekt erwarb 1726 König August II. und übereignete es seiner leiblichen Tochter, der Gräfin Anna Orzelska. Bald darauf wurde die Residenz unter der Leitung von Carl Friedrich Pöppelmann, Joachim Daniel Jauch und Johann Sigismund Deybel im Geiste des Spätbarocks und des Rokoko gründlich umgebaut. Nachdem Gräfin Orzelska Warschau verlassen hatte, gelangte das Grundstück in den Besitz von Maria Zofia Dennhoff, geb. Sieniawska, die seit 1731 mit Fürst August Aleksander Czartoryski verheiratet war. Bis 1811 blieb die Residenz in den Händen der Czartoryskis. In den Jahren 1766–1768 gestaltete der Architekt Jakub Fontana das Appartement im Erdgeschoß um, und 1770–1781 nahm der Architekt Ephraim Schröger einen Umbau des Hauptgebäudes vor, bei dem er dem Palast auf jeder Seite ein Fenster hinzufügte. Gründlich umgebaut wurde der Palast dann 1812–1815 auf Initiative des damaligen Eigentümers Graf Stanisław Kostka Zamoyski. Architekt Friedrich Albert Lessel gestaltete das neue Äußere des Palastes im Geiste des strengen Neoklassizismus. Von deutschen Bomben getroffen, brannte die Residenz im September 1939 ab. Mit ihrem Wiederaufbau wurde 1948 begonnen.

Pałac Przebendowskich (Radziwiłłów)
The Przebendowski (Radziwiłł) Palace
Przebendowski- oder Radziwiłł-Palais

Nazywany jest również pałacem Zawiszów lub Radziwiłłów od kolejnych właścicieli. Pierwotnie położony przy ulicy Bielańskiej, po wytyczeniu Trasy W-Z znalazł się w jej rozwidleniu. Istniejący do dziś późnobarokowy pałac został wzniesiony przed rokiem 1729 dla Jana Jerzego Przebendowskiego, podskarbiego wielkiego koronnego, być może według projektu Jana Zygmunta Deybla. Przebendowski zmarł w roku 1729, a nieruchomość wraz z pałacem przez jakiś czas pozostawała w rękach jego rodziny. W latach 1760–1762 mieszkał tu poseł hiszpański przy dworze Augusta III, hr. Pedro Pablo Abarca de Bolea Aranda, ciekawa i barwna postać, generał artylerii, polityk i dyplomata. To on przyczynił się kilka lat później do wygnania z Hiszpanii jezuitów i rozpoczął walkę z inkwizycją. Założył w roku 1780 hiszpańską lożę masońską i został jej mistrzem. W okresie swego pobytu w Warszawie urządzał w wynajętym przez siebie pałacu Przebendowskich wspaniałe przyjęcia, które z czasem przeszły do legendy.

W końcu lat sześćdziesiątych XVIII w. właścicielem posesji został Roch Kossowski, późniejszy podskarbi wielki koronny, którego drugą żoną była słynna z urody i wdzięku Barbara z Bielińskich, uważana za jedną z trzech najpiękniejszych Polek doby stanisławowskiej – obok Rozalii z Chodkiewiczów Lubomirskiej i Julii z Lubomirskich Potockiej.

Pałac w rękach Kossowskich nie uległ poważniejszym zmianom. Zachował swój późnobarokowy charakter, podczas gdy cała Warszawa stanisławowska zmieniała swe artystyczne oblicze. W posiadaniu Kossowskich pałac pozostawał do 1831 roku, potem kilkakrotnie zmieniał właścicieli. Stopniowo podupadał, aż stał się zwykłą kamienicą dochodową. Mieścił się w nim gabinet figur woskowych, kantor służby domowej, zajazd, piwiarnia, cukiernia i skład mebli. W roku 1863 nowy właściciel Jan Zawisza przeprowadził gruntowną restaurację i częściową przebudowę pałacu według projektu Wojciecha Bobińskiego. W roku 1883 hall został ozdobiony przez Henryka Siemiradzkiego plafonem przedstawiającym Światłość i Ciemność. Zawisza zgromadził w pałacu bogate zbiory archeologiczne.

Od początku naszego stulecia aż do roku 1945 właścicielem pałacu był książę Janusz Radziwiłł, ordynat ołycki, przywódca arystokracji i ziemiaństwa w II Rzeczypospolitej.

W czasie powstania warszawskiego pałac został niemal całkowicie zniszczony przez Niemców. Jego odbudowę podjęto w roku 1947 według projektu Bruna Zborowskiego, który przywrócił pałacowi wygląd jaki miał w XVIII w. Początkowo budynek użytkowany był przez Ośrodek Szkoleniowy Centralnej Rady Związków Zawodowych, w roku 1955 ulokowało się tu Muzeum Lenina, a obecnie jest siedzibą Muzeum Niepodległości.

ELEWACJA OGRODOWA · GARDEN FRONT · GARTENSEITE

The late baroque palace was erected before 1720 for Jan Jerzy Przebendowski, possibly to a design by Jan Zygmunt Deybel. In the second half of the 18th century, the palace belonged to the Kossowski family, then in the 19th century it frequently changed owners; for a time it belonged to the Zawisza family. In the 20th century, it belonged to Prince Janusz Radziwiłł. Destroyed in 1944, rebuilding began in 1947.

Das spätbarocke Palais wurde vor 1729 für Jan Jerzy Przebendowski errichtet, möglicherweise nach einem Entwurf von Johann Sigismund Deybel. In der zweiten Hälfte des 18. Jh. gehörte das Palais den Kossowskis. Im 19. Jh. wechselte es mehrfach den Besitzer. So war es u.a. Eigentum der Familie Zawisza. Im 20. Jh. gehörte es dem Fürsten Janusz Radziwiłł. 1944 zerstört, wurde 1947 mit seinem Wiederaufbau begonnen.

WIDOK OD FRONTU · FRONT VIEW · VORDERANSICHT

Pałac Mostowskich
The Mostowski Palace
Mostowski-Palast

W latach 1762–1765 Jan Hilzen, wojewoda miński, wykupił tereny, na których znajduje się dziś pałac Mostowskich, i po zburzeniu istniejącego tu dworu, należącego kolejno do Paców, biskupów wileńskich, Ponińskich, Adama Brzostowskiego, wzniósł nową siedzibę. Pałac ten w roku 1795 przeszedł drogą spadku na wnuka Hilzena, Tadeusza Mostowskiego, najmłodszego posła na Sejm Czteroletni. Był on współwydawcą „Gazety Narodowej i Obcej". Od roku 1812 Mostowski pełnił funkcję ministra spraw wewnętrznych Księstwa Warszawskiego, a następnie Królestwa Polskiego. W roku 1822 odstąpił pałac rządowi Królestwa. W roku 1823 Antonio Corazzi gruntownie przebudował i rozszerzył pałac, który przeznaczony został na siedzibę Komisji Rządowej Spraw Wewnętrznych i Policji.
Klasycystyczna, monumentalna fasada gmachu wyróżnia się potężnym ryzalitem z wydatnym portykiem o czterech korynckich kolumnach. Ryzalit ozdobiony jest płaskorzeźbami będącymi najprawdopodobniej dziełem Pawła Malińskiego i Aleksandra Jana Konstantego Norblina.
W roku 1944 po powstaniu warszawskim pałac został całkowicie zniszczony przez Niemców. Odbudowano go i rozbudowano w roku 1949 według projektu Zygmunta Stępińskiego. W pałacu mieści się obecnie Komenda Policji miasta stołecznego Warszawy.

In 1823, Antonio Corazzi rebuilt the old Hilzen Palace in the neoclassical style. The building housed the Governmental Commission for Internal Affairs and Police of the Kingdom of Poland. In 1944, the palace was destroyed. In 1949, it was rebuilt as the seat of the Warsaw City Police.

Im Jahre 1823 baute Antonio Corazzi den ehemaligen Hilzen-Palast um und gab ihm neoklassizistischen Charakter. In dem Gebäude war die Regierungskommission für innere Angelegenheiten und Polizei untergebracht. 1944 wurde der Palast zerstört, und nach 1949 baute man ihn als Amtssitz des Polizeipräsidiums der Stadt Warschau wieder auf.

ELEWACJA FRONTOWA · FACADE · VORDERFASSADE

Pałac Lubomirskich
The Lubomirski Palace
Lubomirski-Palast

Kiedy powstał pałac, noszący nazwę pałacu Lubomirskich, dokładnie nie wiemy. Istniał z pewnością w roku 1712. Składał się z korpusu głównego i połączonych z nim oficyn otaczających prostokątny dziedziniec. Nie wiadomo jednak, do kogo wówczas należał. Około roku 1730 stanowił własność architekta Jana Zygmunta Deybla, pod koniec lat trzydziestych XVIII w. należał do księcia Stanisława Wincentego Jabłonowskiego, wojewody rawskiego, w którego posiadaniu był jeszcze w roku 1743. Około połowy XVIII w. stał się własnością księcia Antoniego Lubomirskiego, wojewody lubelskiego. W roku 1760 rozpoczęto gruntowną przebudowę pałacu według projektu Jakuba Fontany, który nadał rezydencji charakter późnego baroku. Przebudowa ta nie została ukończona – widok nie dokończonego pałacu namalował w 1770 roku Bernardo Bellotto zwany Canalettem.
W roku 1776 połowę pałacu objął w posiadanie wychownek księcia Antoniego Lubomirskiego, książę Aleksander, który stał się posiadaczem całej nieruchomości w roku 1790. Książę Aleksander Lubomirski niezwłocznie pomyślał o ukończeniu i modernizacji rezydencji. Projekty klasycystycznej przebudowy wykonał Jakub Hempel. Roboty budowlane rozpoczęły się po 1790 i trwały do roku 1793. Szczególnie okazale prezentowała się nowo ukształtowana elewacja od placu Za Żelazną Bramą, z dziesięciokolumnowym portykiem jońskim w wielkim porządku. Do czasów budowy gmachu Teatru Wielkiego w latach 1825–1833 była to największa kolumnada w Warszawie. Na pierwszym piętrze pałacu znajdował się wspaniały apartament właściciela, na drugim piętrze i w oficynach mieściły się liczne mieszkania do wynajęcia. Był to zatem nie tylko pałac magnacki, ale również kamienica dochodowa. Książę Aleksander Lubomirski ożeniony był z Rozalią Chodkiewiczówną, ówczesną pięknością, która zginęła pod gilotyną w Paryżu, w czasie Wielkiej Rewolucji Francuskiej. Jej burzliwe życie i dramatyczna śmierć przez długi czas pobudzały wyobraźnię pisarzy.
Po śmierci księcia Aleksandra Lubomirskiego w roku 1804 pałac odziedziczyła jego córka Rozalia, żona Wacława Rzewuskiego, podróżnika i znanego orientalisty, zwanego Emirem Tadż ul-Fehr. Rozalia Rzewuska sprzedała pałac w roku 1816 generałowi Izydorowi Krasińskiemu. W roku 1828 pałac nabył rząd Królestwa Polskiego z przeznaczeniem na pomieszczenie urzędów. W czasie powstania listopadowego umieszczono tu lazaret wojskowy. Po upadku powstania próbowano ulokować w pałacu biura różnych instytucji państwowych, wymagał jednak licznych przeróbek i właściwie nie nadawał się na cele biurowe – okazała kolumnada od strony placu Za Żelazną Bramą znacznie zaciemniała pomieszczenia parteru i pierwszego piętra. Ostatecznie pałac sprzedano w roku 1834 finan-

PORTYK · PORTICO · PORTIKUS

PODCIEŃ POD PORTYKIEM · PORTICO ARCADES · ARKADE DES PORTIKUS

Pałac Lubomirskich
The Lubomirski Palace
Lubomirski-Palast

sistom Abrahamowi Simonowi Cohenowi i Ickowi Blassowi z Góry Kalwarii. Transakcja ta zapoczątkowała upadek pałacu, który odtąd był ustawicznie przekształcany przez kolejnych właścicieli, chcących uzyskać z nieruchomości jak największy dochód. Na parterze umieszczono sklepy, zniszczono arkady portyku, aby uzyskać miejsce na stragany. W latach siedemdziesiątych XIX wieku w pałacu mieścił się znany w Warszawie żydowski dom modlitwy.
W roku 1929 pałac padł ostatecznie ofiarą kapitalistycznej gospodarki; korpus główny został podwyższony o piętro, według projektu Wacława Moszkowskiego. W roku 1934 nabyła go z licytacji Komunalna Kasa Oszczędności miasta Warszawy, a w 1938 roku nieruchomość odkupiła Gmina Miasta Stołecznego Warszawy. Budynek zamierzano poddać gruntownej restauracji i przywrócić mu taki wygląd, jaki nadał mu Jakub Hempel. Do realizacji tych zamierzeń nie doszło, wybuchła bowiem wojna. Pałac spłonął we wrześniu 1939 roku od bomb niemieckich.
W roku 1947 zrujnowany pałac przyznano Muzeum Archeologicznemu; projekty odbudowy gmachu z uwzględnieniem jego przeznaczenia wykonał Tadeusz Żurowski. Ostatecznie pałac przejęło Wojsko Polskie, które zakończyło jego odbudowę około roku 1950. Ukośne ustawienie budynku w stosunku do placu Za Żelazną Bramą utrudniało urbanistom uporządkowanie zabudowy placu. Zdecydowano się na przesunięcie pałacu na nowe miejsce, tak aby zasłonił elewację hali targowej, a jednocześnie, by jego monumentalna kolumnada zamknęła perspektywę głównej alei Ogrodu Saskiego. Projekt obrócenia pałacu o 78° opracował Aleksander Mostowski. Przesuwanie rozpoczęto 30 marca, a ukończono 18 maja 1970 roku. Korpus główny pałacu przejechał na nowe miejsce po szesnastu specjalnie wybudowanych torach.
Po odbudowaniu pałac był siedzibą instytucji wojskowych i klubu garnizonowego, obecnie mieści się tu Business Centre Club.

The palace was already in existence in 1712. In 1760, its owner Prince Antoni Lubomirski initiated a complete rebuilding following the late-baroque designs of Jakub Fontana. The work was never completed and the next project was initiated in 1790–1793 by Prince Aleksander Lubomirski, this time to designs by architect Jakub Hempel. The palace was given a neoclassical appearance. In the 19th and 20th centuries the building underwent some unfortunate changes and was turned into a tenement house with flats for rent. It was bombed out and burned down in 1939. It was rebuilt about 1950 and in 1970 the corpus was moved around so that the colonnades now stand dirctly facing the main arenue in the Saski Gardens.

Der Palast existierte bereits 1712. 1760 begann man auf Initiative des damaligen Eigentümers, des Fürsten Antoni Lubomirski, mit einem gründlichen Umbau im Geiste des Spätbarocks, und zwar nach einem Entwurf Jakub Fontanas. Dieser Umbau wurde nie vollendet. Den nächsten Umbau unternahm Aleksander Lubomirski. Die Bauarbeiten dauerten von 1790 bis 1793, und der Entwurf stammte von dem Architekten Jakub Hempel. Bei diesem Umbau erlangte der Palast seinen neoklassizistischen Charakter. Im 19. und 20. Jh. unterlag der Palast nachteiligen Veränderungen und wurde zu einem gewerblich genutzten Objekt. Im September 1939 brannte er, von deutschen Bomben getroffen, ab. Wiederaufgebaut wurde er um 1950, und 1970 versetzte man das Hauptgebäude des Palastes an seinen neuen Platz, so daß sein Säulengang die Perspektive der Hauptallee des Saski-Parks abschließt.

WIDOK OGÓLNY · GENERAL VIEW · GESAMTANSICHT

Pałac Janaszów (Czackich)
The Janasz (Czacki) Palace
Janasz- oder Czacki-Palast

Pałac finansisty Jakuba Janasza został wzniesiony w latach 1874–1875 według projektu Jana Heuricha starszego. Architekt nadał siedzibie cechy późnego renesansu francuskiego i kształtował ją na wzór charakterystycznych dla Paryża II Cesarstwa pałaców przyulicznych, przeznaczonych w zasadzie dla jednej rodziny. Pierwotnie siedziba Janaszów znajdowała się w linii zabudowy ulicy Zielnej. Podczas ostatniej wojny sąsiadujące z pałacem kamienice zostały zburzone i stał się on budowlą wolno stojącą. Architekturę jej wyróżnia bardzo wysokie pierwsze piętro, gdzie mieściły się apartamenty reprezentacyjne, podkreślone jeszcze balkonem z piękną żeliwną kratą, ciągnącym się wzdłuż całej elewacji frontowej. Janaszowie należeli do finansjery warszawskiej, ale mieli aspiracje do stania się rodziną ziemiańską. Po śmierci Jakuba Janasza w roku 1893 posesja wraz z pałacem przeszła na wdowę Różę z Goldstandów, oraz córki: Wiktorię Krzywoszewską i Julię Gutmanową. Spadkobierczynie w tym samym roku sprzedały nieruchomość hr. Feliksowi i Zofii z Ledóchowskich Czackim. Nie jedyny to wypadek w Warszawie, kiedy siedziba plutokracji przechodziła w ręce rodziny arystokratycznej. Po śmierci Feliksa Czackiego w roku 1894 właścicielką połowy pałacu została wdowa, drugiej zaś dzieci: Tadeusz, Stanisław i Róża Czaccy. Po śmierci matki w 1911 roku pałac w drodze działów rodzinnych przejął Stanisław. Z kolei po jego śmierci w 1924 roku pałac odziedziczyła żona, Jadwiga z Broel-Platerów. Wreszcie w kwietniu 1939 roku posesję nabył Polski Związek Przemysłowców Metalowych. Pałac pod koniec okresu międzywojennego zatracił cechy reprezentacyjne i stał się kamienicą dochodową.
Z zawieruchy wojennej budynek wyszedł obronną ręką i dziś jest najlepiej zachowanym pałacem warszawskim z drugiej połowy ubiegłego stulecia. Po roku 1945 mieściły się w nim rozmaite biura, które zdewastowały reprezentacyjne wnętrza. „Odnowiono" elewację frontową, pozbawiając ją dawnych ozdób. W latach 1970–1973 pałac został starannie odrestaurowany i przystosowany do potrzeb dyrekcji naczelnej Przedsiębiorstwa Państwowego Pracownie Konserwacji Zabytków, która znalazła tu swą siedzibę. Przywrócono wówczas elewacji frontowej wygląd zbliżony do pierwotnego, posługując się wydawnictwami francuskimi z epoki budowy pałacu, odtworzono również bardzo starannie wnętrza.

WIDOK OD STRONY ZIELNEJ
VIEW FROM ZIELNA STREET
ANSICHT VON DER ZIELNA-STRASSE HER

This neo-renaissance palace in line with facades on Zielna Street was constructed for Warsaw financier Jakub Janasz in 1874–1875, to designs by architect Jan Heurich the Elder. In 1893, it became the property of the Counts Czacki, to whom it belonged until 1939. During the Second World War only the street elevation was destroyed. It was painstakingly restored and the whole building was renovated in 1970–1971. It is currently the seat of the main office of the State Ateliers for the Conservation of Historic Relics (PKZ).

Der in der Fluchtlinie der Bauten in der Zielna-Straße gelegene Palast ist 1874–1875 nach einem Entwurf des Architekten Jan Heurich d.Ä. für den Warschauer Finanzier Jakub Janasz errichtet worden. 1893 ging er in den Besitz der Grafen Czacki über, denen er bis 1939 gehörte. Im zweiten Weltkrieg wurde nur die Vorderfassade zerstört. Rekonstruiert wurde diese bei der gründlichen Überholung des Bauwerks 1970–1971. In dem Palast hat heute die Firma PKZ – Werkstätten für Denkmalpflege – seinen Sitz.

KLATKA SCHODOWA
STAIRCASE
TREPPENHAUS

SALA KONFERENCYJNA
CONFERENCE ROOM
KONFERENZSAAL

Pałac Raczyńskich
The Raczyński Palace
Raczyński-Palast

Historia pałacu sięga ostatnich lat XVII stulecia, kiedy właścicielem posesji był rajca miejski Jakub Schultzendorff. Na jego zamówienie Tylman z Gameren wykonał w roku 1699 projekt okazałej kamienicy-pałacu, mającej sięgać od ulicy Długiej aż do Podwala. Projekt ten nie został zrealizowany. Jednakże badacze dziejów architektury warszawskiej barokową budowlę, która stanęła na tej posesji na początku XVIII w., zwrócona frontem do ulicy Długiej, przypisują Tylmanowi.
Posesja w rękach Schultzendorffów znajdowała się do 1717 roku, kiedy to wszedł w jej posiadanie biskup kujawski Konstanty Felicjan Szaniawski. On właśnie przebudował, rozszerzył i ozdobił wspomnianą budowlę, która w wyniku tych zabiegów przeistoczyła się w pałac.
W roku 1721 właścicielem posesji został kanclerz wielki koronny Jan Szembek. Po jego śmierci w roku 1731 odziedziczyła ją wdowa Ewa z Leszczyńskich. W roku 1762 nieruchomość należała do Stanisława Mycielskiego, starosty lubiatowskiego, od którego spadkobierców nabył ją Filip Raczyński, generał wojsk koronnych. Objąwszy w posiadanie pałac w roku 1787 oddał go niebawem w dożywocie teściowi, Kazimierzowi Raczyńskiemu, staroście generalnemu wielkopolskiemu i marszałkowi nadwornemu koronnemu. Była to z pewnością jedna z najnikczemniejszych postaci wśród ówczesnej magnaterii polskiej. Pozostawał stale na usługach ambasady rosyjskiej. Cesarzowa Katarzyna wyróżniała go łaskami, mimo że za każdą przysługę kazał sobie bardzo drogo płacić. Nic zatem dziwnego, że stronnictwo patriotyczne pogardzało nim i wyszydzało. Uciekł z Warszawy w 1794 roku, tuż przed wybuchem insurekcji kościuszkowskiej, ostrzeżony w ostatniej chwili i tylko dlatego uniknął szubienicy.
Kazimierz Raczyński, człowiek wszechstronnie wykształcony i miłośnik architektury, przystąpił niezwłocznie do gruntownej przebudowy istniejącego barokowego pałacu, który w jej wyniku otrzymał szatę klasycystyczną.
Roboty toczyły się w latach 1787–1789, a projektów dostarczył architekt królewski Jan Chrystian Kamsetzer. Elewację frontową od ulicy Długiej ozdobiono przyściennym portykiem jońskim zwieńczonym trójkątnym frontonem, a wnętrza, szczególnie apartamenty reprezentacyjne pierwszego piętra, otrzymały bogatą klasycystyczną dekorację. Wśród nich wyróżniała się wspaniała sala Balowa, przypominająca salę Stołową w pałacu Tyszkiewiczów i salę Balową w pałacu Na Wyspie w Łazienkach – obie projektowane również przez Jana Chrystiana Kamsetzera.
W roku 1804 pałac odziedziczyli dwaj synowie Filipa, Edward i Atanazy. W roku 1810 w drodze działów rodzinnych pałac dostał się Atanazemu, który objął go w posiadanie w roku 1824 po śmierci dożywotniego użytkownika, dziada Kazimierza Raczyńskiego, i po trzech latach sprzedał rządowi Królestwa Polskiego na siedzibę Komisji Rządowej Sprawiedliwości.
W latach 1853–1854 odrestaurowano oficyny pałacowe według projektu Alfonsa Kropiwnickiego. Po likwidacji Komisji w roku 1876 w lewej oficynie pałacu pomieszczono Sąd Handlowy, a reprezentacyjne apartamenty na pierwszym piętrze zajął prezes rosyjskiej Izby Sądowej.
W latach 1919–1939 pałac był siedzibą Ministerstwa Sprawiedliwości. W tym czasie gmach poddano gruntownej restauracji pod kierunkiem znanego architekta Mariana Lalewicza. We frontonie elewacji od ulicy Długiej umieszczono wówczas płaskorzeźbę przedstawiającą głowę Temidy z zawiązanymi przepaską oczami, wykonaną przez Mieczysława Lubelskiego.
W czasie okupacji niemieckiej pałac zajęty był przez Deutsches Obergericht, czyli najwyższe władze sądowe dla zagarniętych ziem polskich. Pod jego murami, od strony ulicy Kilińskiego 24 stycznia 1944 roku Niemcy rozstrzelali 50 Polaków.
W czasie powstania warszawskiego w pałacu mieścił się szpital powstańczy, największy na Starym Mieście, który esesmani zlikwidowali w dniu 2 września 1944 roku po zajęciu ulicy Długiej. Spośród 430 rannych ze szpitala wyszło tylko około 50 osób, reszta została rozstrzelana, a gmach podpalony.
Pałac odbudowano w latach 1948–1950 według projektu architektonicznego Władysława Kowalskiego i Borysa Zinserlinga i przeznaczono na siedzibę Archiwum Głównego Akt Dawnych. Reprezentacyjna Sala Balowa doczekała się rekonstrukcji dopiero w latach 1972–1976.

The front of the neoclassical palace is in line with the facades of Długa Street. An older building was transformed into a palace for Kazimierz Raczyński in 1787–1789; the designs were prepared by the royal architect Jan Chrystian Kamsetzer. The building was burned down by the Germans in 1944. Rebuilt after the war in 1948–1950, it is now the Main Archives of Historical Documents. Of the interiors only the Ballroom was restored to its original appearance in 1972–1976.

Der neoklassizistische Palast gehört zu den Gebäuden der Długa-Straße. Entstanden ist er durch den von Kazimierz Raczyński veranlaßten, 1787–1789 erfolgten Umbau eines älteren Bauwerks, für den Hofarchitekt Johann Christian Kamsetzer den Entwurf lieferte. 1944 wurde der Palast von den Deutschen niedergebrannt. 1948–1950 hat man ihn als Hauptarchiv für alte Akten wiederaufgebaut. Von den Räumlichkeiten ist nur der Ballsaal 1972–1976 vollkommen überholt worden.

WYSTAWA
WAC 9603
WST 4301
WXE 1488
WFJ 4939
WXB 1313

FRAGMENT DEKORACJI SZTUKATORSKIEJ SALI BALOWEJ
STUCCO DECORATION OF THE BALLROOM, DETAIL
TEILANSICHT DER STUKKATUR IM BALLSAAL

SALA BALOWA, WIDOK OGÓLNY
BALLROOM, GENERAL VIEW
BALLSAAL, GESAMTANSICHT

Pałac Pod Czterema Wiatrami
The Palace of the Four Winds
Palast Zu den vier Winden

Nazwę swoją zawdzięcza figurom Czterech Wiatrów ustawionych na filarach ogrodzenia oddzielającego dziedziniec od ulicy Długiej. Zwany jest również pałacem Dückerta od nazwiska jednego z właścicieli w XIX w. Pałac wzniósł Stanisław Kleinpolt, używający od czasu nobilitacji na sejmie w roku 1676 nazwiska Małopolski, metrykant skarbu koronnego, sekretarz królewski, podstoli i chorąży bracławski. Kleinpolt zbudował go zapewne po nobilitacji, tj. około roku 1680, na pewno przed rokiem 1685, kiedy to pałac nabył Jan Dobrogost Krasiński, referendarz koronny i starosta warszawski. Krasiński niedługo użytkował „pałac kleinpoltowski", sprzedał go w 1698 roku biskupowi płockiemu Andrzejowi Załuskiemu. W obecnym stanie badań nie wiemy, jak pałac wyglądał pod koniec XVII w., pewne jednak, że składał się z korpusu głównego i skrzydeł bocznych. Przy jego ukształtowaniu pracował Tylman z Gameren, nie znamy jednak zakresu jego działalności.
W ciągu XVIII w. pałac zmieniał często właścicieli. W roku 1731 kupił go Franciszek Ossoliński, później należał kolejno do Jana Tarły, księcia Michała Kazimierza Radziwiłła zwanego „Rybeńko", bankiera Piotra de Riacour, od 1765 roku do Piotra Teppera, jednego z największych finansistów okresu panowania Stanisława Augusta, a od roku 1784 do jego krewnego i spadkobiercy Piotra Fergussona Teppera, który wspaniałością swej siedziby chciał dorównać arystokracji rodowej. W tym okresie barokowa architektura pałacu uległa przemianom. Około połowy stulecia przekształcono m.in. środkowy ryzalit korpusu głównego, który otrzymał wówczas rokokową dekorację. W latach 1769–1771 pałac przebudował Szymon Bogumił Zug dla Piotra Teppera. Rozszerzono wówczas prawe skrzydło, przy którym od ulicy Długiej wzniesiono nowy aneks odznaczający się wczesnoklasycystyczną elewacją frontową. Zugowi przypisuje się również zakończenie skrzydeł bocznych kwadratowymi pawilonami od ulicy, bądź tylko nadbudowę tych pawilonów o piętro. Około roku 1784 Zug zaprojektował gruntowną przebudowę wnętrz pałacu dla Piotra Fergussona Teppera. Nowym wnętrzem, które pałac prawdopodobnie w tym czasie otrzymał, była wielka sala jadalna na pierwszym piętrze zakończona z jednej strony półkoliście. Najważniejszym zadaniem Zuga w rozbudowie pałacu miała być sala balowa, którą architekt proponował umieścić w nowej części przylegającej do korpusu głównego od strony ogrodu. Zug sporządził trzy projekty tej rozbudowy, żaden z nich nie został jednak zrealizowany. Jeden z projektów sali nawiązywał wyraźnie do Sali Balowej Zamku Królewskiego w Warszawie.
W roku 1801 pałac nabył na licytacji kupiec Karol Fryderyk Dückert. Do jego spadkobierców nieruchomość należała do roku 1891. W XIX w. pałac bardzo podupadł stając się kamienicą czynszową. W 1927 roku został zakupiony przez Skarb Państwa, a następnie gruntownie wyrestaurowany i przeznaczony na siedzibę Ministerstwa Pracy i Opieki Społecznej. Spalił się w 1944 roku od bomb niemieckich. Po wojnie odbudowano go około roku 1953. Mieści obecnie biura instytucji podległych Ministerstwu Zdrowia i Opieki Społecznej.

BRAMA NA DZIEDZINIEC, W GŁĘBI RYZALIT ŚRODKOWY KORPUSU GŁÓWNEGO
COURTYARD GATE AND MAIN BLOCK IN THE BACKGROUND
EINFAHRTSTOR DES VORHOFES, IM HINTERGRUND DER MITTELRISALIT DES HAUPTGEBÄUDES

The late baroque palace draws its name from the figures of the four winds decorating the pillars of the enclosure separating the court from Długa Street. The palace was erected by Stanisław Kleinpolt-Małopolski around 1680. Tylman van Gameren was active on the project, although there is no certainty as to the extent of his actual role. In the second half of the 17th and in the 18th century, the building changed owners a number of times until, in 1765,

WIDOK OGÓLNY · GENERAL VIEW · GESAMTANSICHT

it became the property of the Tepper family of bankers. In the middle of the 18th century, the center projection was rebuilt in the rococo style; in 1769–1771, the whole palace was rebuilt for Piotr Tepper by Szymon Bogumił Zug. The interiors were given a neoclassical finish by the same architect around 1784. In the 19th century, the palace declined, becoming a tenement house. Burned down in 1944, it was painstakingly restored after the war.

Seinen Namen hat der spätbarocke Palast den Skulpturen der vier Winde auf den Pfeilern der Einzäunung zu verdanken, die den Vorhof von der Długa-Straße trennt. Errichtet wurde der Palast um 1680 von Stanisław Kleinpolt-Małopolski. Beim Bau der Residenz war u.a. Tylman van Gameren beschäftigt, aber das Ausmaß seiner Tätigkeit ist unbekannt. In der zweiten Hälfte des 17. Jh. und im 18. Jh. wechselte der Palast häufig den Besitzer. Ab 1765 gehörte er der Bankiersfamilie Tepper. Mitte des 18. Jh. wurde der Risalit des Hauptgebäudes im Geiste des Rokoko umgestaltet, und 1769–1771 baute Simon Gottlieb Zug den ganzen Palast für Piotr Tepper um. Mit dem Umbau der Räumlichkeiten im Geiste des Neoklassizismus befaßte sich derselbe Architekt um 1784. Im 19. Jh. wurde der Palast vernachlässigt und verwandelte sich in ein Mietshaus. 1944 abgebrannt, wurde er nach dem Kriege sorgfältig wiederaufgebaut.

Pałac Sapiehów
The Sapieha Palace
Sapieha-Palast

Sebastian Rybczyński, pisarz dekretowy dworu królewskiego, zbudował w tym miejscu, w pierwszej ćwierci XVIII w. dwór, który w roku 1725 kupił od niego książę Jan Fryderyk Sapieha z Kodnia, wówczas kasztelan trocki. Nowy właściciel postanowił wznieść dla siebie w stolicy okazałą rezydencję i zamówił projekt u Jana Zygmunta Deybla. Pierwszy etap budowy trwał od 1731 do 1734 roku. Powstał wówczas pałac złożony z korpusu głównego i krótkich skrzydeł bocznych ujmujących płytki dziedziniec, z elewacjami o bogatym wystroju późnobarokowym, m.in. obramowania okienne i rzeźby na attyce. Drugi etap budowy przypadł na lata 1736–1746. Zakupiono sąsiednią posesję i powiększono pałac dodając mu od północy i od południa nowe skrzydła. Po ukończeniu była to jedna z najwspanialszych późnobarokowych rezydencji magnackich w Warszawie.

W roku 1817 pałac został zakupiony od rodziny Sapiehów przez rząd Królestwa Polskiego, a w latach 1818–1820 poddano go gruntownej przebudowie na koszary. Przebudowa ta dokonana według projektu Wilhelma Henryka Mintera znacznie zubożyła architekturę pałacu, skasowano bowiem wtedy bogaty wystrój późnobarokowy. W koszarach, zwanych później sapieżyńskimi od nazwiska dawnych właścicieli, stacjonował słynny 4. pułk piechoty liniowej, który później tak ważną rolę odegrał w powstaniu listopadowym. Pamięć o „czwartakach" utrwalona przez tablicę wmurowaną w fasadę pałacu przetrwała również w licznych anegdotach. Pułk ten, złożony w większości z warszawiaków, wyszkolony był znakomicie i dlatego cieszył się sympatią wielkiego księcia Konstantego, naczelnego wodza armii Królestwa Polskiego. „Z drugiej strony był to zbiór filutów, figlarzy, oszustów i trochę nawet złodziei. Ale wszystko odbywało się z pewnym ulicznikowskim dowcipem i wesołością" – pisał we *Wspomnieniach podchorążego* pamiętnikarz Ignacy Komorowski.

Po upadku powstania listopadowego aż do

pierwszej wojny światowej w koszarach sapieżyńskich stacjonowały pułki rosyjskie. W okresie dwudziestolecia międzywojennego w pałacu mieściły się również koszary. Budynek spłonął w roku 1944 od bomb niemieckich. Po wojnie został odbudowany według projektu Marii Zachwatowicz z przeznaczeniem na szkołę podstawową, która mieści się tam do dziś.

The late baroque palace was built by Prince Jan Fryderyk Sapieha who commissioned the architect Jan Zygmunt Deybel to design it. The first stage of the construction came in 1731–1734 (corpus). The second stage lasted from 1736 until 1746 (new wings were added). In 1818–1820, the palace, which had been acquired by the authorities of the Kingdom of Poland, served as a garris quarters. Bombed and burned down in 1944 by the Germans, the palace was rebuilt to serve as a primary school, which it has remained until today.

Der spätbarocke Palast entstand auf Initiative des Fürsten Jan Fryderyk Sapieha in mehreren Etappen. Den Entwurf für seine Residenz bestellte Sapieha bei Johann Sigismund Deybel. Die erste Etappe fiel in die Jahre 1731–1734 (damals entstand das Hauptgebäude). Die zweite Etappe dauerte von 1736 bis 1746 (an das Hauptgebäude wurden neue Flügel angebaut). In den Jahren 1818–1820 erwarb die Regierung des Königreichs Polen den Palast und verwandelte ihn in Kasernen. 1944 brannte er, von deutschen Bomben getroffen, ab. Nach dem Krieg wurde er als Grundschule wiederaufgebaut, und diesem Zweck dient er bis heute.

ELEWACJA OGRODOWA
GARDEN FRONT
GARTENSEITE

Pałac Krasińskich (Rzeczypospolitej)
The Krasiński (Polish Commonwealth) Palace
Krasiński-Palast oder Palast der Adelsrepublik

Uznany za jedno z najwybitniejszych dzieł architektury nowożytnej w Polsce. Pałac wzniósł Jan Dobrogost Krasiński, starosta warszawski, a od 1688 roku wojewoda płocki, przedstawiciel szybko bogacącej się rodziny mazowieckiej. Przy budowie siedziby warszawskiej zatrudnił najlepszych artystów spośród przebywających wówczas w Polsce: architekta Tylmana z Gameren – autora projektu, rzeźbiarza Andrzeja Schlütera i malarza Michelangela Palloniego. Przy budowie pracowali również: Józef Bellotti, Jakub Solari, nieznany z imienia Maderni i Izydor Affaita, zatrudnieni jako budowniczowie lub przedsiębiorcy budowlani. Dokładna data rozpoczęcia budowy nie jest znana. Musiało to nastąpić zaraz po 1677 roku; w stanie surowym pałac był już gotów w 1682 roku. W trakcie prac budowlanych Krasiński skupował parcele wokół pałacu, na których wzniesiono obszerną piętrową oficynę mieszczącą m.in. kuchnię, oranżerię, figarnię i arsenał, nazywany w rachunkach „cekhauzikiem". Całą posesję otoczono murem.

Po wybudowaniu pałacu w stanie surowym niezwłocznie rozpoczęto długotrwałe prace wykończeniowe i dekoracyjne. Użyto do nich szlachetnych materiałów, jak marmur, czy twardy piaskowiec. W roku 1682 wykonano kamienne posadzki, portale i kominki, a w latach 1682–1683 Andrzej Schlüter wyrzeźbił sześć posągów przeznaczonych do dekoracji środkowych ryzalitów elewacji frontowej i ogrodowej. W roku 1684 przystąpiono do robienia dekoracji stiukowej we wnętrzach i otwartych galeriach, a w latach 1684–1685 Michelangelo Palloni wymalował plafon oraz freski w supraportach portali w westybulu pałacowym. Dzieło Andrzeja Schlütera – płaskorzeźby wypełniające szczyty nad ryzalitami elewacji frontowej i ogrodowej powstały w latach 1689–1693. Płaskorzeźba od frontu przedstawia scenę walki trybuna rzymskiego Marka Waleriusza Corvinusa z olbrzymiego wzrostu Galem, natomiast płaskorzeźba od ogrodu triumf wodza rzymskiego – zapewne tego samego Marka Waleriusza przejeżdżającego na kwadrydze przez łuk triumfalny. Należy tu przypomnieć, że Krasińscy pieczętujący się herbem Ślepowron (Corvinus) uważali bohaterskiego Rzymianina za swego protoplastę, wybór tematu obu płaskorzeźb nie był zatem przypadkowy. Elewację frontową ukończono w latach 1693–1694, ogrodową w 1695 roku. W roku 1699 wnętrza były już częściowo gotowe. Całkowicie nie ukończono ich nigdy, nie wybudowano również drugiej oficyny ujmującej symetrycznie dziedziniec przedpałacowy. Mimo to pałac był najwspanialszą

ELEWACJA OGRODOWA
GARDEN FRONT
GARTENSEITE

Pałac Krasińskich (Rzeczypospolitej)
The Krasiński (Polish Commonwealth) Palace
Krasiński-Palast oder Palast der Adelsrepublik

rezydencją ówczesnej Warszawy, przyćmiewając siedziby królewskie. Stylowo architektura jego należy do dojrzałego baroku o odcieniu klasycyzującym, właściwym wielu pracom Tylmana z Gameren.

Jan Dobrogost Krasiński zmarł w 1717 roku i pałac odziedziczył jego wnuk Jan Błażej, starosta opinogórski. Po jego bezpotomnej śmierci w roku 1752 rezydencja przeszła na własność kilku członków bocznych linii rodziny Krasińskich, których spłacił biskup kamieniecki Adam Krasiński, stając się jedynym właścicielem nieruchomości. W roku 1765 pałac zakupiła Rzeczpospolita na siedzibę Komisji Skarbu Koronnego. W latach 1766–1773 wnętrza budynku poddano gruntownej przebudowie według projektu Jakuba Fontany. W roku 1782 pałac spłonął; niezwłocznie podjęto odbudowę, którą ukończono w rocznicę wybuchu pożaru. Pracami kierował Dominik Merlini, „architekt króla i Rzeczypospolitej".

Wiek XIX nie przyniósł zasadniczych zmian w wyglądzie pałacu. Kilkakrotnie odnawiano go, w roku 1835 oszklono otwarte galerie pierwszego piętra. W latach 1819–1820 gruntownie przebudowano oficynę według projektu Chrystiana Piotra Aignera, który podwyższył ją o piętro i nadał nowo ukształtowanej budowli charakter klasycystyczny.

W okresie dwudziestolecia międzywojennego pałac był siedzibą Sądu Najwyższego. W roku 1939 został uszkodzony, a w czasie powstania warszawskiego w 1944 roku spalony i częściowo zburzony. Odbudowano

ELEWACJA FRONTOWA · FACADE · VORDERANSICHT

KARTUSZ Z ORŁEM BIAŁYM
CARTOUCHE WITH THE WHITE EAGLE
KARTUSCHE MIT DEM WEISSEN ADLER

go w latach 1948–1961 według projektu Zygmunta Stępińskiego i Mieczysława Kuzmy. Oficyny nie odbudowano, a ruiny jej zburzono. Obecnie w pałacu mieszczą się Zbiory Specjalne Biblioteki Narodowej.

The palace of Jan Dobrogost Krasiński was begun after 1677; by 1682 it had been completed. The designs were by Tylman van Gameren. The builders Giuseppe Bellotti, Giacomo Solari, Isidoro Affaita and a certain Maderni whose first name is not known were active on the construction, while the decoration was undertaken by the painter Michelangelo Palloni and the sculptor Andreas Schlüter, a famous artist in his own right. Although the palace was never quite completed, it was still believed to be the most beautiful baroque residence of the turn of the 17th century in Warsaw. In 1765 the building was acquired by the Polish state. Damaged in 1939, it was burned down and partly destroyed in 1944. Rebuilt in 1948–1961, it currently houses the Special Collections of the National Library.

Mit dem Bau des Palastes begann Jan Dobrogost Krasiński nach 1677, und im Rohbau war er 1682 fertig. Der Entwurf stammte von Tylman van Gameren, und beim Bau waren Giuseppe Bellotti, Giacomo Solari und Isidoro Affaita sowie ein Unbekannter mit dem Vornamen Maderni als Baumeister tätig. Mit der Ausgestaltung befaßten sich der Maler Michelangelo Palloni und der berühmte Bildhauer Andreas Schlüter. Obwohl der Palast nicht endgültig fertiggestellt werden konnte, galt er an der Wende vom 17. zum 18. Jh. als eine der schönsten Warschauer Barockresidenzen. 1765 wurde das Gebäude von der Adelsrepublik Polen erworben. 1939 erlitt es Beschädigungen, und 1944 wurde es niedergebrannt und zum Teil abgerissen. In den Jahren 1948–1961 baute man den Palast wieder auf. Heute sind dort die Spezialsammlungen der Nationalbibliothek untergebracht.

FRAGMENT DEKORACJI SALONU OD STRONY OGRODU
FRAGMENT OF THE DRAWING ROOM DECORATION FROM THE GARDEN
TEILANSICHT DER AUSSTATTUNG DES SALONS AN DER GARTENSEITE

FRAGMENT TZW. SALI WILANOWSKIEJ ►
FRAGMENT OF THE SO-CALLED WILANOWSKA HALL
TEILANSICHT DES SOG. WILANÓW-SAALS

Pałac Potockich w Jabłonnie
The Potocki Palace in Jabłonna
Potocki-Palais in Jabłonna

Jabłonna – miejscowość na prawym brzegu Wisły, położona o niespełna 20 km od centrum stolicy, przy trakcie Warszawa-Modlin – już w XV w. stanowiła własność biskupów płockich, którzy z czasem obrali ją na swoją letnią rezydencję. Królewicz Karol Ferdynand Waza, syn Zygmunta III i brat Władysława IV, biskup wrocławski i płocki, wybudował tu w roku 1646 prywatną kaplicę „w budynku, który służył odpoczynkowi wśród przyjaciół po trudach", jak głosi tekst marmurowej tablicy wmurowanej w ścianę północną obecnego pałacu. Nie umiemy powiedzieć, jak wyglądała ta kaplica, nie wiemy również nic na temat samej siedziby biskupiej.

W roku 1773 biskupem płockim został Michał Poniatowski, brat króla Stanisława Augusta, późniejszy prymas Rzeczypospolitej, który w tym samym roku odkupił Jabłonnę od kapituły płockiej. Przekształcanie posiadłości w nowoczesną rezydencję pałacowo-parkową rozpoczął w roku 1774. Rozpoczęto budowę nowej siedziby dla biskupa zaprojektowaną przez architekta królewskiego Dominika Merliniego. Całość wraz z parkiem i znajdującymi się w nim pawilonami była gotowa w połowie lat osiemdziesiątych XVIII w.

Rezydencja Michała Poniatowskiego składała się z parterowego pałacyku właściwego i z ujmujących go dwóch kwadratowych dwupiętrowych pawilonów. Do pawilonu prawego przylegała prostokątna piętrowa oficyna. Pałacyk właściwy był już pod dachem w roku 1775, prace przy jego dekoracji trwały jeszcze dwa lata. Budowla ta miała strukturę barokową, natomiast jej dekoracja charakter wczesnoklasycystyczny. Bryłę pałacyku ożywiała od frontu czworoboczna wieżyczka nakryta hełmem zwieńczonym kulą, od ogrodu zaś potężny trójboczny ryzalit kryjący okrągły salon. Wejście do pałacu znajdowało się w silnie wysuniętym ryzalicie elewacji frontowej. Okrągły salon stanowił ośrodek kompozycji całej budowli. Z dwóch jego stron znajdowały się prostokątne sale: z prawej jadalnia, z lewej ogród zimowy. Na skrajach pałacyku po obu stronach umieszczono maleńkie apartamenciki składające się z sypialni i garderoby. Układ ten zachował się w zasadzie do dziś, tylko apartamencik północny przekształcono na jedną dużą salę w czasie późniejszej przebudowy Marconiego.

Najciekawszym pomieszczeniem pałacyku jest okrągły salon, znacznie wyższy od pozostałych wnętrz. Ściany salonu rozczłonkowane są kompozytowymi pilastrami podtrzymującymi wydatną fasetę dźwigającą balkon. Ponad nim na suficie Szymon Mańkowski wymalował w roku 1777 pogodne niebo z białymi chmurkami. Sztukaterie salonu są dziełem Włocha Antonia Bianchiego, który rozpoczął je w roku 1775. I Bianchi, i Mańkowski dekorowali także inne wnętrza pałacyku. Sale w podziemiach ozdobił malowidłami Antonio Tavelli w 1776 roku. Na filarze środkowym podpierającym sklepienia sali okrągłej (znajdującej się pod salonem) wymalowany jest m.in. satyr goniący wśród trzcin i drzew dwie nimfy.

Pałacyk główny służył biskupowi Michałowi Poniatowskiemu za mieszkanie, natomiast pawilony boczne i oficyna przeznaczone były dla gości i dworu. Pawilon z lewej strony nosi do dziś nazwę Królewskiego, ponieważ miał w nim mieszkać Stanisław August w czasie gościny u brata. W roku 1778 Szymon Mańkowski wymalował w apartamencie królewskim dekorację groteskową. Salonik pierwszego piętra zdobią do dziś malowidła krajobrazowe, a sąsiedni pokój malowidła alegoryczne przedstawiające cztery części świata w postaci kobiet różnych ras.

Park krajobrazowy wraz z licznymi pawilonami był dziełem Szymona Bogumiła Zuga. Do dziś przetrwały: grota wzniesiona w roku 1778, klasycystyczna oranżeria przy prawym pawilonie, powstała zapewne na początku lat osiemdziesiątych XVIII w. i pawilon chiński wybudowany w 1784 roku.

Po śmierci prymasa Michała Poniatowskiego w roku 1794 Jabłonnę odziedziczył jego bratanek, książę Józef Poniatowski, który zamierzał tu osiąść na stałe. Po trzecim rozbiorze Polski zmuszony był jednak wyjechać do Wiednia. Kiedy wrócił do Warszawy w 1798 roku, życie jego toczyło się między pałacem Pod Blachą a Jabłonną. I tu, i tam rolę pani domu grała przyjaciółka księcia, osławiona hrabina Henrietta z Barbantanów de Vauban. Książę do roku 1806 prowadził hulaszczy tryb życia, utrzymywał wielką stajnię, kapelę, przyjmował licznych gości i wydawał znacznie więcej niż mu przynosiły jego niemałe przecież dobra.

W Jabłonnie mieszkanie księcia Józefa mieściło się na parterze w prawym pawilonie.

Po śmierci księcia w bitwie pod Lipskiem w roku 1813 Jabłonnę w dożywocie otrzymała jego siostra Teresa Tyszkiewiczowa z zastrzeżeniem, że dobra te przejdą później na własność jej krewnej, Anny z Tyszkiewiczów Potockiej. Anna Potocka objęła Jabłonnę w posiadanie w 1822 roku. Po rozwodzie z Aleksandrem Potockim w roku 1820 wyszła za mąż za generała napoleońskiego Stanisława Dunin-Wąsowicza.

Nowa właścicielka przystąpiła niebawem do porządkowania rezydencji. Chcąc uczynić z Jabłonny ośrodek kultu księcia Józefa, wystawiła w parku łuk triumfalny z napisem PONIATOWSKIEMU, gromadziła również pilnie pamiątki po bohaterze.

W roku 1827 przy wjeździe do parku wystawiono nową bramę z dwiema granitowymi kolumnami sprowadzonymi z zamku w Malborku, po obu stronach bramy wybudowano malownicze domki z napisem SALVE. W roku 1837 gruntownie przebudowano pałacyk według projektu Henryka Marconiego, doradcy architektonicznego Potockiej-Wąsowiczowej. Z obu stron ryzalitu

Pałac Potockich w Jabłonnie
The Potocki Palace in Jabłonna
Potocki-Palais in Jabłonna

środkowego elewacji frontowej dobudowano wówczas nowe pomieszczenia. Część środkową elewacji rozczłonkowano pilastrami jońskimi, co zmieniło jej charakter. Wewnątrz pozostawiono nie naruszony jedynie salon okrągły, natomiast pozostałe pomieszczenia gruntownie przekształcono. Sala z ogrodem zimowym otrzymała nową dekorację w stylu mauretańskim wykonaną z lanego żelaza. Na zewnątrz od północy przybudowano do pałacyku kolumnową pergolę, w której urządzono lapidarium. Ustawiono tu rzymskie sarkofagi, rzeźby i ich fragmenty. Obok pergoli Wąsowiczowa kazała wmurować w ścianę północną pałacu wspomnianą już tablicę z czasów Karola Ferdynanda Wazy oraz tablicę z następującym napisem:

USTRONIE BOHATERA
OZDOBIWSZY STARANNIE
BEZ NARUSZENIA PAMIĄTEK
POTOMKOM PRZEKAZUJĘ
1837 | A.D.W.

Skrót A.D.W. oznaczał oczywiście Anna Dunin-Wąsowiczowa. W medalionie nad napisem znajduje się płaskorzeźba wyobrażająca siedzącą kobietę.
Henryk Marconi wystawił również w Jabłonnie nowe budynki gospodarcze i ogromne stajnie połączone z wozowniami.
Następnym właścicielem Jabłonny był Maurycy Potocki (młodszy syn Aleksandra i Anny z Tyszkiewiczów), a w roku 1879 dobra przeszły na własność syna Maurycego, Augusta, zwanego powszechnie „hrabią Guciem". Trybem życia naśladował on księcia Józefa w okresie pomiędzy trzecim rozbiorem a rokiem 1806. Utracjusz i hulaka, pogardliwy wobec urzędników carskich i dlatego uwielbiany przez Warszawę, był bohaterem niezliczonych anegdot.
W drugiej połowie XIX w. w Jabłonnie zaszły niewielkie zmiany. Oficynę przy prawym pawilonie przerobiono na mieszkanie właścicieli. Park zeszpecono wałem przeciwpowodziowym, zasłaniającym widok na Wisłę. Po śmierci Augusta Potockiego w roku 1905, dobra przeszły na własność jego jedynego syna Maurycego, w którego posiadaniu pozostawały do roku 1945.
Pałac w Jabłonnie został spalony w sierpniu 1944 roku przez cofające się wojska niemieckie, w roku następnym, tuż po wyzwoleniu, przystąpiono do zabezpieczenia murów. W roku 1953 Jabłonnę objęła Polska Akademia Nauk, która odbudowała cały zespół na ośrodek konferencyjno-wypoczynkowy. Odbudowę przeprowadziły Pracownie Konserwacji Zabytków w Warszawie według projektu Mieczysława Kuzmy. Rekonstrukcję pałacowego parku zaprojektował profesor Gerard Ciołek.
Pałacyk w wyniku tej odbudowy nie odzyskał wyglądu ani z czasów prymasa Poniatowskiego, ani z czasów Anny Potockiej-Wąsowiczowej. Partii środkowej elewacji frontowej przywrócono stan taki, jaki miała u schyłku XVIII w. Pozostawiono jednakże po obu jej stronach partie dobudowane przez Marconiego inaczej teraz dekorowane. Powstał zatem twór nowy, niewiele mający wspólnego z przeszłością. We wnętrzach salon okrągły odzyskał dawny charakter, zniszczono jednak bezpowrotnie dekorację sali mauretańskiej ocalałą z pożaru. Sali tej nadano teraz charakter klasycystyczny i odtworzono zachowane szczątkowo dawne malowidła w niszach. Pozostałe wnętrza pałacyku otrzymały również klasycystyczny charakter. Urządzono je meblami i obrazami, które swym charakterem w zasadzie odpowiadają odbudowanemu pałacowi. Dawny blask odzyskały malowidła Antonia Tavellego w podziemiach, w których teraz mieści się jadalnia.
Pawilon Królewski oddano na siedzibę Klubu Dyplomatycznego, a w pawilonie prawym i w przylegającej do niego piętrowej oficynie umieszczono dom pracy twórczej Polskiej Akademii Nauk.

ELEWACJA OGRODOWA
GARDEN FRONT
GARTENSEITE

PAWILON PRZY PAŁACU
PAVILION NEXT TO THE PALACE
PAVILLON AM PALAIS

SALA OKRĄGŁA W PAŁACU
THE ROUND HALL IN THE PALACE
RUNDER SAAL IM PALAIS

The small palace, which has all the features of a late baroque and early classicistic building, was erected in 1774–1777 on the initiative of Michał Poniatowski, the last Primate of the First Polish Republic and brother to King Stanislaus Augustus. Domenico Merlini designed the residence. On either side of the palace there are two square storeyed pavilions; the right one has a storeyed residential wing adjoining it. After the death of Primate Poniatowski in 1794, Jabłonna was inherited by his nephew Prince Józef Poniatowski; in 1945, it still belonged to the Potocki family. In 1837, the palace was practically completely rebuilt to Henryk Marconi's design. Destroyed in 1944, it was rebuilt after the war and turned over to the Polish Academy of Sciences to serve as a conference and recreation center.

Das kleine, Merkmale des Spätbarocks und des Frühklassizismus tragende Palais entstand in den Jahren 1774–1777 auf Initiative von Michał Poniatowski, dem letzten Primas der Adelsrepublik Polen, einem Bruder von König Stanislaus August. Der Entwurf für den Landsitz stammte von Domenico Merlini. Das kleine einstöckige Palais hat zu beiden Seiten quadratische Pavillons mit Obergeschoß; an den rechten grenzt ein einstöckiges Wirtschaftsgebäude. Nachdem Primas Poniatowski 1794 gestorben war, erbte dessen Neffe, Fürst Józef Poniatowski, Jabłonna. Im 19. Jh. und bis 1945 gehörte es den Potockis. Das eigentliche Palais wurde 1837 nach einem Entwurf von Enrico Marconi grundlegend umgebaut. 1944 zerstört, ist es nach dem Krieg als Konferenz- und Erholungszentrum der Polnischen Akademie der Wissenschaften wiederaufgebaut worden.

Pałac Biskupów Krakowskich
The Palace of the Cracow Bishops
Palast der Krakauer Bischöfe

W końcu XVI w. stał na tym miejscu drewniany dom krawca warszawskiego Mikołaja Czajki, obok zaś browar i słodownia Tomasza Chawłosza, rajcy warszawskiego. W roku 1597 wszystko to zakupił Jerzy Fryderyk, margrabia brandenburski i książę pruski, zamierzając tu wystawić rezydencję, która miała mu służyć w czasie pobytu w stolicy Polski. Następca jego, Jan Zygmunt, zaniechał budowy pałacu w Warszawie i sprzedał posesję królowej Konstancji, żonie Zygmunta III. Królowa chciała wystawić tu pałac i ofiarować go kapitule krakowskiej z zastrzeżeniem, by służył za mieszkanie biskupom tej diecezji. Budowę pałacu rozpoczęto, ale jej nie dokończono. Ostatecznie król Władysław IV ofiarował posesję kapitule krakowskiej w 1635 roku, również z zastrzeżeniem, by znajdujący się na niej pałac zamieszkiwali biskupi tej diecezji. Budowę pałacu dokończył biskup Jakub Zadzik w 1642 roku. Po zniszczeniach w czasie wojen szwedzkich odbudował go w 1668 roku biskup Andrzej Trzebicki. W połowie XVIII w. pałac był już bardzo zniszczony, a w latach 1760–1762 uległ gruntownej przebudowie z inicjatywy biskupa Kajetana Sołtyka, który zlecił to zadanie najprawdopodobniej Jakubowi Fontanie. Budowla otrzymała wówczas szatę późnobarokową. Należy ona do stosunkowo mało rozpowszechnionego w Warszawie typu pałacu przyulicznego. Po przebudowie część dwupiętrowej budowli miała od ulicy Miodowej jedno piętro o wysokości dwóch kondygnacji, mieszczące sale reprezentacyjne. Pałac w tym stanie utrwalił Bernardo Bellotto, zwany Canalettem, na obrazie przedstawiającym widok ulicy Miodowej namalowanym po roku 1775.

Biskup krakowski otoczył się olbrzymim i świetnym dworem, „miał on paziów, dragonię i innych oficjalistów, a kiedy z pałacu jego ruszała kareta, pierwszy hufiec orszaku już wjeżdżał do bramy królewskiego zamku" – pisał Łukasz Gołębiowski w *Opisaniu historyczno-statystycznym miasta Warszawy*, wydanym w 1827 roku.

Kajetan Sołtyk dał się później poznać jako przeciwnik reform i wróg Stanisława Augusta. Przywódca opozycji katolickiej w walce o równouprawnienie dysydentów na sejmach 1766 i 1767 roku zwalczał postulaty ambasadora Nikołaja Repnina i dlatego naraził się na aresztowanie wraz z trzema opozycyjnymi senatorami i wywiezienie do Kaługi, gdzie przebywał do roku 1772. Po powrocie do kraju zdradzał objawy choroby umysłowej i w roku 1782 został ubezwłasnowolniony przez kapitułę krakowską.

ZWIEŃCZENIE Z KARTUSZEM HERBOWYM
CARTOUCHE WITH THE COAT-OF-ARMS IN THE PEDIMENT
BEKRÖNUNG MIT WAPPENKARTUSCHE

Po trzecim rozbiorze Polski rezydencja biskupów krakowskich przeszła na własność rządu pruskiego. Lokale parterowe przerobiono na sklepy, by pałac przynosił jak największy dochód. W okresie Księstwa Warszawskiego w pałacu umieszczono trybunał handlowy, sąd apelacyjny i sądy pokoju. W roku 1823 budynek wystawiono na loterię. Połowę szczęśliwego losu nabył Natan Morgensztern z Sandomierza, drugą połowę trzej starozakonni z Końskowoli. Odkupili od nich pałac dwaj mieszczanie warszawscy, Tomasz Czaban i Łukasz Piotrowski. Ten ostatni spłacił wspólnika w roku 1828 i został właścicielem całości. Piotrowski gruntownie przebudował pałac przekształcając go w kamienicę czynszową. Kazał podzielić wysokie jedno piętro od ulicy Miodowej na dwie kondygnacje, chcąc uzyskać jak najwięcej pomieszczeń. W XIX w. pałac przerabiano jeszcze kilkakrotnie, w końcu zatracił niemal zupełnie cechy artystyczne. We wrześniu 1939 roku spalił się od bomb niemieckich. Po wojnie odbudowano go na cele biurowe. Elewacji od strony ulicy Miodowej przywrócono wygląd taki, jaki otrzymała w wyniku przebudowy w latach 1760–1762, pozostawiając jednakże podział na dwie kondygnacje. Przy rekonstrukcji posłużono się wspomnianym już obrazem Bernarda Bellotta zwanego Canalettem. Obecnie w pałacu mieszczą się biura rozmaitych instytucji. W elewcję skrzydła od ulicy Senatorskiej wmurowana jest tablica upamiętniająca męczeńską śmierć kilkudziesięciu Polaków rozstrzelanych w tym miejscu przez Niemców 15 lutego 1944 roku. Druga tablica wmurowana w elewację od strony wykopu Trasy W-Z informuje, że w pałacu urodził się w 1869 roku Wacław Gąsiorowski.

The history of the palace goes back to the 17th century. The bishop of Cracow Jakub Zadzik completed its construction in 1642. Shortly thereafter, the building was destroyed in the Swedish wars, then rebuilt, but already by the middle of the 18th century it was in a sorry state. In 1760–1762, Bishop Kajetan Sołtyk initiated a total renovation in the spirit of the Late Baroque, probably to plans by Jakub Fontana. In the 19th century the palace was turned into a tenement house and changed owners quite frequently, losing its artistic features with time. It burned down in a fire started by German bombs in 1939. After the war, it was rebuilt as an office building and given the appearance it had after the 1760s renovation.

Die Geschichte des Palastes reicht ins 17. Jh. zurück. Fertiggestellt wurde der Bau 1642 vom Krakauer Bischof Jakub Zadzik. Bald darauf wurde das Gebäude während der Schwedenkriege zerstört. Man baute es wieder auf, aber Mitte des 18. Jh. befand es sich bereits in einem sehr schlechten Zustand. 1760–1762 wurde der Palast auf Initiative von Bischof Kajetan Sołtyk im Geiste des Spätbarocks grundlegend umgebaut, höchstwahrscheinlich nach einem Entwurf von Jakub Fontana. Im 19. Jh. wurde der Palast zu einem Mietshaus. Er wechselte häufig den Besitzer und büßte seine künstlerischen Merkmale ein. Im September 1939 ging er durch deutsche Bomben in Flammen auf. Nach dem Krieg wurde er zu Bürozwecken wiederaufgebaut, und man gab ihm das Aussehen zurück, das er nach dem Umbau in den sechziger Jahren des 18. Jh. gehabt hatte.

Pałac Młodziejowskiego
The Młodziejowski Palace
Młodziejowski-Palast

Zwany także pałacem Morsztynów, Bidzińskich, Igelströma od nazwisk kolejnych właścicieli i użytkowników. Istniał już w drugiej połowie XVII w. W roku 1699 był własnością Stanisława Morsztyna, wojewody mazowieckiego. W pierwszych latach XVIII w. należał do Stefana Bidzińskiego, wojewody sandomierskiego. Wiemy, jak wówczas wyglądał dzięki zachowanej w Muzeum Narodowym w Sztokholmie inwentaryzacji z 1705 roku. Była to budowla utrzymana w duchu dojrzałego baroku, piętrowa, kryta łamanym dachem, z wejściem głównym od strony Podwala, umieszczonym w ryzalicie środkowym, wyższym od reszty budowli, zwieńczonym trójkątnym frontonem. Elewacja od strony ulicy Miodowej skomponowana była znacznie staranniej i odznaczała się obok analogicznego ryzalitu środkowego wydatnymi ryzalitami skrajnymi, zwieńczonymi również trójkątnymi frontonami. Maleńki geometryczny ogródek rozciągający się przed tą elewacją odgradza od ulicy Miodowej żelazna krata. Autorstwo pałacu ani dokładna data jego powstania nie są w obecnym stanie badań znane.

Po śmierci Stefana Bidzińskiego w roku 1704 pałac wrócił, jak się zdaje, w ręce rodziny Morsztynów, później należał do Wodzickich i Massalskich. W roku 1766 biskup wileński Ignacy Massalski sprzedał go Andrzejowi Młodziejowskiemu, biskupowi przemyskiemu. Młodziejowski gruntownie przebudował pałac pomiędzy rokiem 1766 a 1771, zapewne według projektu Jakuba Fontany. Od ulicy Miodowej dodano wówczas skrzydła będące przedłużeniem wspomnianych już ryzalitów bocznych. Utworzony w ten sposób dziedziniec zamknięto od ulicy Miodowej galerią arkadową podtrzymującą taras. Łukasz Gołębiowski w *Opisaniu historyczno-statystycznym miasta Warszawy* (1827) wspomina, że na tarasie tym rozbijano piękny namiot, pod którym biskup Młodziejowski śniadał lub wieczerzał, obserwując jednocześnie ruch uliczny. Biskup-kanclerz na pewno nie był postacią

WIDOK OD STRONY MIODOWEJ
VIEW FROM MIODOWA STREET
ANSICHT VON DER MIODOWA-STRASSE HER

tuzinkową. Pochodził z ubogiej rodziny szlacheckiej i własnemu sprytowi zawdzięczał późniejsze dostojeństwa. Inteligentny i bystry, biegły w sprawach politycznych, był jednocześnie bezwzględny w zdobywaniu pieniędzy: słynął z łapownictwa. Skompromitował się ostatecznie przywłaszczając sobie dużą część majątku należącego do skasowanego zakonu jezuitów. Karierę rozpoczynał jako kapelan nuncjusza papieskiego i w tym okresie życia wydarzyła mu się zabawna przygoda zanotowana we *Wspomnieniach pamiętnikarskich* przez biskupa Ludwika Łętowskiego. „Jeździł ksiądz nuncjusz raz w tydzień do wojewodziny lubelskiej Zamoyskiej na czekuladę po mszy św. od kapucynów. Niedyspozyt, czy zajęty interesami, posyła jednego razu księdza kapelana z komplementem do pani wojewodziny wymawiając się, iż na czekuladę nie przyjedzie. Czekulada była gotowa; rzecze wojewodzina kapelanowi: «Siadaj, księżuniu, i wypij». Młodziejewski nie śmiał się wymówić i zjadł czekuladę, ale oddał ją zaraz na schodach. Ugotowano bowiem węgierskie mydło przez pomyłkę, a on snadź nie wiedział smaku czekulady, a wypił to paskudztwo sądząc, że ugotowane dla nuncjusza". Biskup Łętowski nie był świadkiem tego wydarzenia, opowiedziała mu o nim matka, która wychowywała się w domu wojewodziny lubelskiej.

Młodziejowski przyczynił się do elekcji Stanisława Augusta, dzięki czemu cieszył się później poparciem króla. Tak jak wielu książąt Kościoła w tej epoce miał kochankę. Była nią podkomorzyna Drzewiecka. Pewnego razu, kiedy w przebraniu lokaja wracał od niej nocą, został schwytany przez patrol policyjny. Wiadomość o tej przygodzie dostojnika kościelnego i państwowego lotem błyskawicy obiegła salony warszawskie.

Zła sława Młodziejowskiego przekroczyła granice Rzeczypospolitej. Przekonał się o tym sam biskup, kiedy w czasie wojażu zagranicznego złożył wizytę wielkiemu filozofowi i moraliście Janowi Jakubowi Rousseau. Ten dowiedziawszy się

WIDOK OD STRONY PODWALA
VIEW FROM PODWALE STREET
ANSICHT VON DER PODWALE-STRASSE HER

Pałac Młodziejowskiego
The Młodziejowski Palace
Młodziejowski-Palast

ZWIEŃCZENIE RYZALITU OD STRONY PODWALA
PEDIMENT DECORATING THE PODWALE STREET FACADE
BEKRÖNUNG DES RISALITS IN DER PODWALE-STRASSE

KLATKA SCHODOWA W KORPUSIE GŁÓWNYM ►
STAIRCASE IN THE MAIN BLOCK
TREPPENHAUS IM HAUPTGEBÄUDE

kogo ma przed sobą, odwrócił się do przybyłego tyłem.
Młodziejowski zmarł w roku 1780. W trzy lata później Franciszek de la Riviere Załuski, starosta grójecki, zakupił pałac przy ulicy Miodowej od spadkobierców niefortunnego biskupa.
W latach dziewięćdziesiątych XVIII stulecia mieszkał tu generał Józef Andrejewicz Igelström, głównodowodzący wojsk rosyjskich w Polsce. W czasie insurekcji kościuszkowskiej, w dniach 17 i 18 kwietnia 1794 roku toczyły się wokół pałacu zacięte walki, w wyniku których Igelström opuścił w popłochu swą rezydencję, a następnie Warszawę. Podczas insurekcji w czasie szturmu prowadzonego przez Jana Kilińskiego pałac uległ zniszczeniu. Odbudowano go dopiero w latach 1806–1808, kiedy właścicielem nieruchomości został hr. Feliks Potocki. Pałac otrzymał wówczas charakter późnoklasycystyczny. Odbudową kierował Fryderyk Albert Lessel, który był również autorem dwóch nowych skrzydeł od strony ulicy Podwale wzniesionych w latach 1808–1811. W roku 1818 pałac kupił Karol Zeydler, przez jakiś czas mieściła się tu Resursa Kupiecka. W XIX w. powoli tracił cechy artystyczne stając się kamienicą czynszową. Spalił się we wrześniu 1939 roku od bomb niemieckich.
Po wojnie odbudowę pałacu według projektu Borysa Zinserlinga zakończono w roku 1957; w jej wyniku gmach otrzymał wygląd zbliżony do tego, jaki miał po przebudowie prowadzonej na polecenie biskupa Młodziejowskiego. Nie zrekonstruowano jednakże arkadowej galerii, która zamykała dziedziniec pałacowy od strony ulicy Miodowej. W pałacu ma swoją siedzbę Wydawnictwo Naukowe PWN.

The baroque palace was certainly in existence in the second half of the 17th century. At the close of the century it belonged to Stanisaw Morsztyn, in the early 18th century already to Stefan Bidziński. Owners changed frequently until, finally, in 1766, the bishop Andrzej Młodziejowski took possession. In the years 1766–1771, the bishop rebuilt the palace in the spirit of the late baroque, presumably to designs by Jakub Fontana. In the 1790s, it was the residence of the general Józef Andreyewich Igelström, Commander in Chief of the Russian troops in Poland. Hard fighting around the palace during the Kościuszko insurrection on April 17 and 18, 1794, caused Igelström to leave hurriedly and escape from the city. In the 19th century the palace slowly lost all aspects of artistic style, becoming a tenement house with flats for rent. Rebuilt after damages suffered in the Second World War, it now houses the Scientific Publishers PWN and several smaller companies.

Der Barockpalast existierte mit Sicherheit schon in der zweiten Hälfte des 17. Jh. Gegen Ende jenes Jahrhunderts gehörte er Stanisław Morsztyn und zu Beginn des 18. Jh. Stefan Bidziński. Später wechselte er häufig den Eigentümer, bis er 1766 in den Besitz von Bischof Andrzej Młodziejowski gelangte, der den Palast in den Jahren 1766–1771 im Geiste des Spätbarocks umbauen ließ, wahrscheinlich nach einem Entwurf Jakub Fontanas. In den zwanziger Jahren des 18. Jh. wohnte dort General Joseph Andrejewitsch Igelström, Oberbefehlshaber der russischen Truppen in Polen. Während des Kościuszko-Aufstands tobten am 17. und 18. April 1794 rings um den Palast verbissene Gefechte, die bewirkten, daß Igelström seine Residenz und später Warschau fluchtartig verlassen mußte. Im 19. Jh. büßte der Palast nach und nach seine künstlerischen Merkmale ein und wurde zu einem Mietshaus. Nach den Zerstörungen des zweiten Weltkriegs wurde er wieder aufgebaut. Heute beherbergt er den wissenschaftlichen Verlag PWN und mehrere kleinere Firmen.

Pałac Branickich
The Branicki Palace
Branicki-Palast

Jeden z najpiękniejszych późnobarokowych pałaców w Warszawie powstanie swoje zawdzięcza Janowi Klemensowi Branickiemu, hetmanowi wielkiemu koronnemu i kasztelanowi krakowskiemu. Budowa pałacu została rozpoczęta najwcześniej w roku 1740. W trzy lata później ukończono podstawowe prace budowlane, jednocześnie jednak doszło do poważnego zatargu pomiędzy Branickim a projektantem pałacu, znanym architektem Janem Zygmuntem Deyblem. Na skutek konfliktu prace wykończeniowe zostały powierzone budowniczemu Janowi Henrykowi Klemmowi, który czuwał następnie nad dekoracją wnętrz. Pałac składa się z korpusu głównego (jego tylna elewacja wychodzi na ulicę Miodową) i przylegających doń prostopadle skrzydeł bocznych tworzących dziedziniec honorowy z piękną bramą wjazdową od strony ulicy Podwale. Korpus główny od frontu wyróżnia się czterokolumnowym portykiem pośrodku, zwieńczonym grupą alegorycznych figur podtrzymujących barokowy kartusz herbowy.
W latach 1750–1754 pracował dla Branickiego Jakub Fontana, kierując budowę oficyn gospodarczych. W latach 1753–1754 prowadził on również budowę niewielkiego późnobarokowego pawilonu, usytuowanego przy skrzydle pałacu od ulicy Senatorskiej, a mieszczącego buduar hetmanowej Branickiej. W roku 1757 Fontana kierował pracami przy restauracji wnętrz rezydencji hetmańskiej oraz przy odnawianiu budynków gospodarczych.
Po śmierci hetmana Branickiego w roku 1771 w pałacu mieszkała jego trzecia żona, Izabella z Poniatowskich, siostra Stanisława Augusta. W roku 1804 hetmanowa Branicka sprzedała nieruchomość Józefowi i Juliannie z Klugów Niemojewskim, którzy zaangażowali Fryderyka Alberta Lessla i przebudowali według jego wskazówek lewe skrzydło pałacu. Ten sam architekt zaprojektował również dwie dwupiętrowe klasycystyczne oficyny, usytuowane po obu stronach bramy wjazdowej od strony ulicy Podwale. Obie stały już w roku 1805. Niemojewscy podzielili nabytą przez siebie nieruchomość na trzy części i dwie z nich sprzedali w grudniu 1805 roku. Posesję przy ulicy Podwale, położoną bliżej ulicy Senatorskiej, kupił wraz ze znajdującą się na niej oficyną Józef Pisarzewski, a posesję z oficyną położoną po drugiej stronie bramy wyjazdowej – niejaki Schneide. Właściwy pałac nabył od Niemojewskich w roku 1808 Stanisław Sołtyk, były podstoli koronny, od którego odkupił go w roku 1817 kupiec Józef Dyzmański. Ten ostatni przebudował parter korpusu głównego od ulicy Miodowej na sklepy. Wzdłuż elewacji ustawiono niebawem daszek wsparty na słupach, dzięki czemu pałac zaczęto nazywać „pałacem Pod Filarami". Daszek ten istniał do roku 1870. W latach 1839–1863 mieściła się tu znana księgarnia, a zarazem dom wydawniczy Gustawa Leona Glücksberga. W XIX w. pałac zmieniał często właścicieli. Wielokrotnie przekształcany stał się kamienicą czynszową, zatracając powoli cechy artystyczne. Spalił się we wrześniu 1939 roku od bomb niemieckich. Odbudowano go w latach 1949–1953 według projektu Borysa Zinserlinga z przeznaczeniem na siedzibę Ministerstwa Szkolnictwa Wyższego. Zinserling pragnął nadać pałacowi wygląd taki, jaki przekazują nam obrazy Bernarda Bellotta zwanego Canalettem. Zdecydował się zatem na zaprojektowanie rzeźb na attyce pałacowej widocznych wprawdzie na obrazach wspomnianego malarza, których jednakże w rzeczywistości pałac nie miał. Rzeźby te były w XVIII stuleciu przewidziane, jednakże z niewiadomych powodów nie zostały zrealizowane. Do wykonania rzeźb przystąpiono w roku 1951. Przy ich realizacji pracował zespół wybitnych artystów rzeźbiarzy z Pracowni Konserwacji Architektury Monumentalnej. Obie oficyny od strony ulicy Podwale zostały odbudowane w swym dawnym kształcie nadanym im przez Fryderyka Alberta Lessla. W latach 1953–1966 w pałacu mieściło się Ministerstwo Szkolnictwa Wyższego, później gmach użytkowany był przez Komitet Nauki i Techniki, od roku 1972 był siedzibą Ministerstwa Szkolnictwa Wyższego i Techniki, a obecnie mieści różne agendy Urzędu miasta stołecznego Warszawy.

Jan Klemens Branicki was responsible for building one of the most beautiful late baroque palaces in Warsaw. Work started in 1740 and within three years the house was standing. It was designed by the recognized architect Jan Zygmunt Deybel. The finishing work was supervised by the builder Jan Henryk Klemm. In the 19th century the palace was turned into a tenement house for rent, repeatedly changed owners and lost its specific style. It burned down in 1939, bombed by the Germans. Rebuilt in 1949–1953, it is currently the seat of several offices of the Warsaw Municipality.

Der Palast, eines der schönsten spätbarocken Bauwerke Warschaus, hat sein Entstehen Jan Klemens Branicki zu verdanken. Mit den Bauarbeiten wurde 1740 begonnen, und drei Jahre später war der Rohbau bereits fertig. Der Projektant der Residenz war der bekannte Architekt Johann Sigismund Deybel, und die Fertigstellungsarbeiten überwachte der Baumeister Johann Heinrich Klemm. Im 19. Jh. wurde der Palast zu gewerblichen Zwecken benutzt, wechselte ununterbrochen den Besitzer und verlor seine Stilmerkmale. Im September 1939 geriet er durch deutsche Bomben in Brand. 1949–1953 baute man ihn wieder auf. Gegenwärtig beherbergt er die verschiedenartigsten Einrichtungen der Warschauer Stadtverwaltung.

WXC 3516
WXC 3520
WXC 3519
WAJ 6946

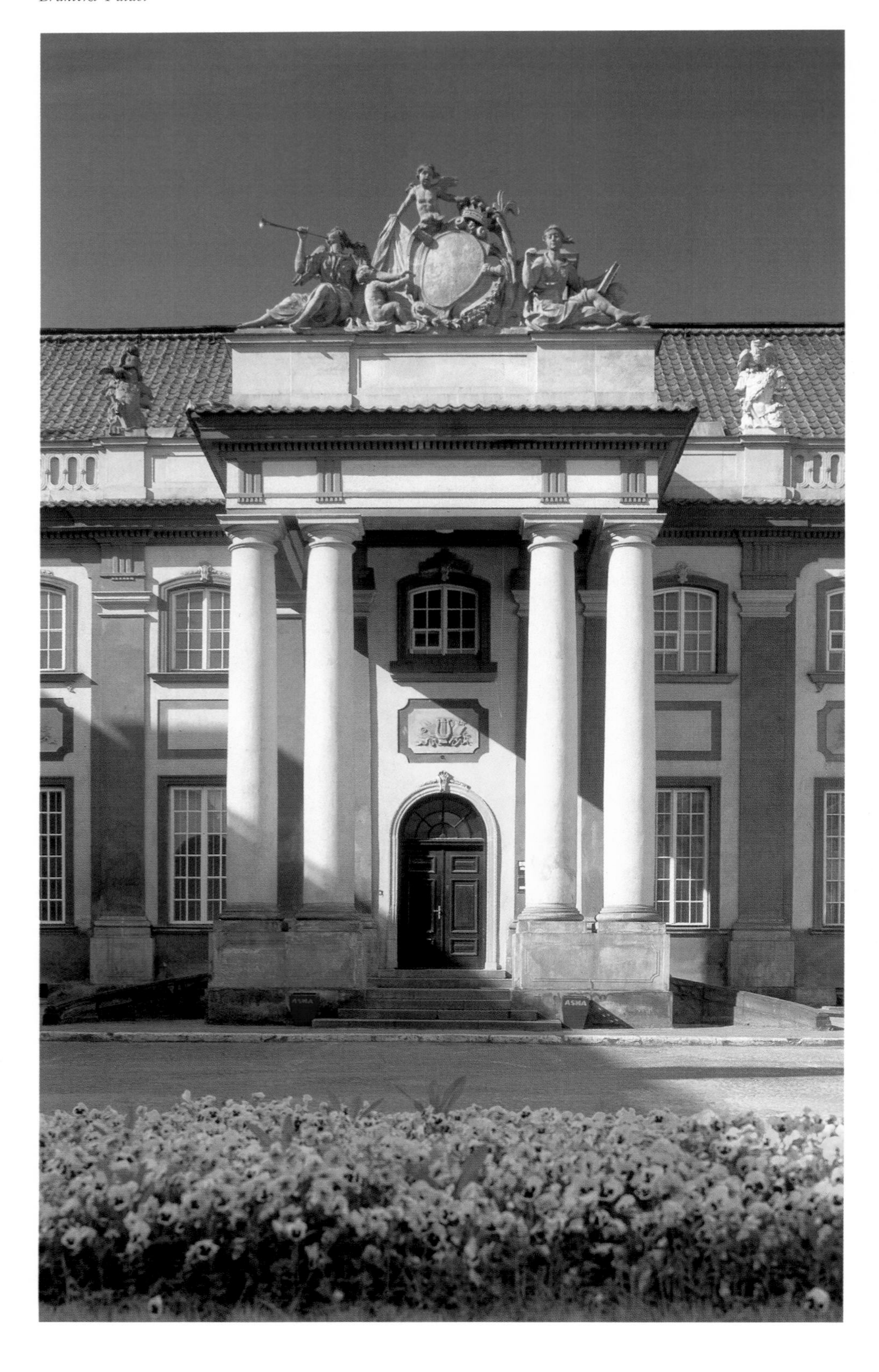

PORTYK ELEWACJI FRONTOWEJ
FRONT PORTICO
PORTIKUS DER VORDERSEITE

ELEWACJA OD STRONY MIODOWEJ
VIEW FROM MIODOWA STREET
FASSADE IN DER MIODOWA-STRASSE

Pałac Paca
The Pac Palace
Pac-Palast

Do budowy rezydencji w Warszawie skłoniła zapewne księcia Dominika Radziwiłła, kanclerza litewskiego, konieczność stałego przebywania na dworze królewskim. Nie znamy dokładnie daty powstania pałacu, zaprojektowanego w stylu barokowym przez Tylmana z Gameren, w każdym razie był gotów przed śmiercią kanclerza w 1697 roku.

Pałac po śmierci księcia Dominika Radziwiłła pozostawał w rękach jego potomków (była to tzw. linia klecka rozgałęzionego rodu radziwiłłowskiego). W latach 1744–1758 należał do biskupa i jednocześnie kancelrza koronnego Andrzeja Załuskiego. Od jego spadkobierców odkupił nieruchomość w roku 1759 książę Michał Kazimierz Radziwiłł zwany „Rybeńko", wojewoda wileński, i przekazał ją na powrót linii kleckiej Radziwiłłów. W latach 1762–1775 dzierżawił pałac książę Michał Fryderyk Czartoryski, kanclerz litewski. W okresie, kiedy tu mieszkał, częstym gościem w pałacu bywał Stanisław August Poniatowski. 3 listopada 1771 roku, kiedy król wyjechał z pałacu, został zatrzymany przez konfederatów barskich i uprowadzony za miasto. Porwanie nie udało się; król po nocy spędzonej w marymonckim młynie zdrów i cały powrócił na Zamek.

W latach 1823–1824 pałac wykupił od Radziwiłłów generał Ludwik hr. Pac i niezwłocznie przystąpił do jego gruntownej

przebudowy według projektu Henryka Marconiego. Przebudowa zakończona zasadniczo w roku 1828 objęła nie tylko pałac właściwy, architekt ujął dziedziniec przedpałacowy w skrzydła boczne i zamknął go gmachem frontowym od ulicy Miodowej. Marconi po mistrzowsku poradził sobie z bardzo niewygodnym, ukośnym usytuowaniem korpusu głównego do ulicy. W gmachu frontowym zastosował półelipsoidalną wnękę z dwiema bramami przejazdowymi i niszą pośrodku. Prawa brama, skierowana na korpus główny pałacu, stanowi wjazd na dziedziniec, lewa prowadzi na okrągłe podwóreczko, będące przeciwwagą dla dziedzińca głównego. Ponad bramami we wnęce od ulicy Miodowej umieszczony jest płaskorzeźbiony fryz dłuta Ludwika Kaufmana, dostosowany do całości kompozycji. Przedstawia on konsula rzymskiego Tytusa Flaminiusa na igrzyskach w Koryncie ogłaszającego wolność miast greckich.

Henryk Marconi nadał pałacowi szatę zewnętrzną o cechach późnoklasycystycznych i neorenesansowych. We wnętrzach natomiast, obok klasycyzmu, posłużył się stylem gotyckim i mauretańskim. Wśród pomieszczeń reprezentacyjnych pałacu na specjalną uwagę zasługuje wielka sala na pierwszym piętrze korpusu głównego, wzorowana na rzymskich termach Karakalli w Rzymie, wyróżniająca się niezwykłym bogactwem ukształtowania przestrzennego. Za pałacem

◀ KORPUS GŁÓWNY PAŁACU, ELEWACJA FRONTOWA
FACADE OF MAIN BLOCK
HAUPTGEBÄUDE, VORDERANSICHT

CZĘŚĆ ŚRODKOWA SKRZYDŁA OD MIODOWEJ
CENTER PART OF WING ON MIODOWA STREET
MITTLERER TEIL DES FLÜGELS ZUR MIODOWA-STRASSE HIN

Marconi wzniósł obszerne stajnie na planie półkolistym, zamykając w ten sposób architektonicznie ogród pałacowy.
Roboty wykończeniowe we wnętrzach pałacowych przerwał w 1830 roku wybuch powstania listopadowego, w którym generał Pac wziął udział. Za to skonfiskowano mu pałac wraz z całym majątkiem.
Od roku 1849 w pałacu urzędowały władze rządu gubernialnego, w latach 1876–1939 mieścił się tu Sąd Okręgowy.
W okresie dwudziestolecia międzywojennego gmach został poddany zabiegom restauracyjnym, mającym na celu usunięcie skutków licznych zmian i przeróbek dokonanych przez władze rosyjskie.
Podczas powstania warszawskiego pałac został zniszczony. Odbudowano go w latach 1947–1951 według projektów Henryka Białobrzeskiego i Czesława Konopki z przeznaczeniem na siedzibę Ministerstwa Zdrowia i Opieki Społecznej. Elewacji ogrodowej przywrócono wygląd taki, jaki nadał jej Tylman z Gameren, a elewację frontową korpusu głównego i gmach od ulicy Miodowej odbudowano w kształcie zaprojektowanym przez Henryka Marconiego. Pałac Paca to ostatnia wielka rezydencja magnacka w dziejach architektury warszawskiej.

This baroque palace was erected in the late 17th century for Prince Dominik Radziwiłł. It was built to designs by Tylman van Gameren and was certainly ready before the founder's death in 1697. In the 18th century the palace frequently changed owners and users until, finally, in 1823–1824, it became the property of Count Ludwik Pac. The new owner commissioned Henryk Marconi to prepare the plans of the rebuilding, which was completed in 1824–1828. Marconi's architecture reveals neoclassical and neo-Renaissance features. The building was destroyed in 1944 and rebuilt in 1947–1951. It now houses the Ministry of Health and Social Welfare.

Der am Ausgang des 17. Jh. entstandene Barockpalast wurde nach einem Entwurf von Tylman van Gameren für Fürst Dominik Radziwiłł errichtet. Vor dem Tode des Stifters im Jahre 1697 war er mit Sicherheit schon fertig. Im Laufe des 18. Jh. wechselte der Palast sehr oft Eigentümer und Benutzer, bis er 1823/24 in den Besitz von Graf Ludwik Pac gelangte. Auf dessen Initiative wurde die Residenz in den Jahren 1824–1828 nach einem Entwurf von Enrico Marconi grundlegend um- und ausgebaut. Die von diesem Architekten gestaltete neue Architektur des Palastes trug Züge des Neoklassizismus und der Neorenaissance. 1944 wurde das Bauwerk zerstört. In den Jahren 1947–1951 wurde es als Amtssitz des Ministeriums für Gesundheit und Sozialfürsorge wiederaufgebaut.

ELEWACJA BOCZNA KORPUSU GŁÓWNEGO
SIDE VIEW OF MAIN BLOCK
SEITENANSICHT DES HAUPTGEBÄUDES

DAWNA KAPLICA W STYLU GOTYCKIM
FORMER GOTHIC-STYLE CHAPEL
EHEMALIGE KAPELLE IM GOTISCHEN STIL

DAWNA SALA BALOWA WZOROWANA NA TERMACH CARACALLI W RZYMIE
FORMER BALLROOM MODELLED ON THE CARACALLA BATHS IN ROME
EHEMALIGER BALLSAAL NACH DEM VORBILD DER THERMEN CARACALLI IN ROM

DAWNA ŁAZIENKA W STYLU MAURETAŃSKIM
FORMER MAURETANIAN-STYLE BATHROOM
EHEMALIGES BAD IM MAURETANISCHEN STIL

Pałac Borchów (Arcybiskupi)
The Borch (Archiepiscopal) Palace
Borch- oder Erzbischofspalast

W trzeciej ćwierci XVII w. znajdował się w tym miejscu drewniany dwór Aleksandra Połubińskiego, marszałka Wielkiego Księstwa Litewskiego. W 1681 roku dwór ten przeszedł na własność Wawrzyńca Wodzickiego, skarbnika ziemi nurskiej. W XVIII w. posesję nabył znany bankier baron Piotr de Riacour i wystawił na niej murowany barokowy pałac. W roku 1768 syn jego, hr. Andrzej de Riacour, dyplomata w służbie saskiej, sprzedał pałac Janowi Borchowi, kanclerzowi wielkiemu koronnemu. Najprawdopodobniej w latach osiemdziesiątych XVIII w. pałac przebudował w stylu klasycystycznym Dominik Merlini. W roku 1800, w okresie okupacji pruskiej, pałac nabył od hr. Michała Borcha cukiernik Ludwik Nesti, który założył w nim słynną w Warszawie restaurację i cukiernię. W latach 1810–1837 pałac był własnością rodziny Kernerów i z tym właśnie okresem w dziejach budowli związana jest interesująca anegdota: „Wreszcie gmach ten ma także pamiątkę wdzięczności hojnego wynagrodzenia za wierność i odwagę" – pisał Franciszek Maksymilian Sobieszczański, badacz przeszłości Warszawy, w pracy o ulicy Miodowej. „Książę Józef Poniatowski, służąc w wojsku austriackim poznał tamże Karola Kernera, żołnierza rodem z Kroacji, w czasie jednej z utarczek przytomność Kernera wyrwała z niebezpieczeństwa uniesionego zbytecznym męstwem księcia, który po wyjściu ze służby wziął go do Warszawy, trzymał przy swoim dworze i obdarzywszy hojnie, kupił dla niego w r. 1810 od Nestego ów pałac". Przed rokiem 1830 mieściła się tu restauracja i hotel pod nazwą „Hotel d'Europe", prowadzone przez Szymona Chovota.
W roku 1837 pałac nabył rząd Królestwa Polskiego. Przez pewien czas mieścił się tu Instytut Aleksandryjski Wychowania Panien, później przeniesiony do Puław, a po roku 1843 gmach przeznaczono na siedzibę arcybiskupa–metropolity warszawskiego i gruntownie odrestaurowano. Spłonął w czasie powstania warszawskiego w 1944 roku, po wojnie został odbudowany. Obecnie mieści się tu rezydencja prymasa Polski. W głębi ogrodu za pałacem znajduje się piękna rokokowa altana wzniesiona około połowy XVIII w.

Pałac Borchów (Arcybiskupi)
The Borch (Archiepiscopal) Palace
Borch- oder Erzbischofspalast

While it is impossible to determine when exactly, it is clear that the palace was erected sometime in the 18th century. The recognized banker Peter de Riacour initiated its construction. His son Andrew sold the palace to Jan Borch in 1768. In the 1780s, the royal architect Domenico Merlini rebuilt it in the neoclassical style. Since 1843 it has been the seat of the Warsaw archbishops. Burned down in 1944, it was rebuilt after the war. It is currently the seat of the Primate of Poland.

Das genaue Baujahr des Palastes ist nicht bekannt. Man weiß aber, daß er im 18. Jh. auf Initiative des bekannten Bankiers Pierre de Riacour entstanden ist. Dessen Sohn Andrzej verkaufte den Palast 1768 an Jan Borch. In den achtziger Jahren des 18. Jh. wurde der Palast vom königlichen Hofarchitekten Domenico Merlini in neoklassizistischem Geiste umgebaut. Seit 1843 war er der Amtssitz der Warschauer Erbischöfe. 1944 brannte er ab und wurde nach dem Kriege wiederaufgebaut. Heute ist er die Residenz des Primas von Polen.

BRAMA NA DZIEDZINIEC
COURTYARD GATE
EINFAHRTSTOR ZUM INNENHOF

RYZALIT ŚRODKOWY ELEWACJI OGRODOWEJ
GARDEN FRONT, MIDDLE BLOCK
MITTELRISALIT DER GARTENSEITE

Pałac Małachowskich
The Małachowski Palace
Małachowski-Palast

W roku 1731 Józef Benedykt Loupia, burmistrz miasta Starej Warszawy, zakupił od rodziny Grzybowskich teren rozciągający się od Krakowskiego Przedmieścia do ulicy Senatorskiej. Na gruncie tym wystawił późnobarokowy pałac usytuowany w linii zabudowy ulicy Senatorskiej. W roku 1750 posiadłość tę kupił od Loupiów Jan Małachowski, kanclerz wielki koronny, który pałac ozdobił i rozszerzył, być może według projektu Jakuba Fontany. Syn kanclerza Mikołaj, wojewoda sieradzki, sprzedał pałac w roku 1784 firmie Rezler i Hurtig, która niebawem przystąpiła do budowy na pałacowym dziedzińcu wielkiej, trzypiętrowej kamienicy czynszowej frontem wychodzącej na Krakowskie Przedmieście, zaprojektowanej w stylu klasycystycznym przez Szymona Bogumiła Zuga. Kamienicę połączono z pałacem oficynami tworząc nierozdzielną całość.
W XIX w. posesja kilkakrotnie zmieniała właścicieli. W 1888 roku po przebiciu wylotu ulicy Miodowej na Krakowskie Przedmieście kamienica i pałac otrzymały elewacje boczne.
Pałac spalił się w 1939 roku od bomb niemieckich. Odbudowano go w roku 1947 według projektu Zygmunta Stępińskiego. W celu odsłonięcia elewacji pałacu od dziedzińca nie odbudowano lewej oficyny kamienicy Rezlera i Hurtiga. Obecnie w pałacu mieści się Zarząd Główny Polskiego Towarzystwa Turystyczno-Krajoznawczego.

In 1731, Józef Benedykt Loupia, the mayor of Old Warsaw, acquired the area between Krakowskie Przedmieście and Senatorska Street. He built a late baroque palace there, in line with the buildings fronting Senatorska Street. Jan Małachowski owned the building in 1750; he rebuilt it, possibly to designs by Jakub Fontana. The next owners, the merchants Rezler and Hurtig erected a neoclassical tenement house in the courtyard of the palace in 1784–1785. Both the palace and the tenement house were damaged during World War II and were rebuilt afterwards.

Im Jahre 1731 erwarb Józef Benedykt Loupia, Bürgermeister von Alt-Warschau, das Gelände zwischen der Krakowskie-Przedmieście- und der Senatorska-Straße und ließ dort in der Fluchtlinie der Senatorska-Straße einen spätbarocken Palast erbauen. Ab 1750 gehörte dieser Palast Jan Małachowski, der ihn nach einem möglicherweise von Jakub Fontana stammenden Entwurf umbauen ließ. Die nächsten Besitzer des Grundstücks, die Kaufleute Rezler und Hurtig, errichteten in den Jahren 1784–1785 auf dem Hof des Palastes ein neoklassizistisches Mietshaus. Nach Zerstörungen im zweiten Weltkrieg wurden sowohl der Palast als auch das Mietshaus wiederaufgebaut.

Pałac Prymasowski
The Primate's Palace
Palast des Primas von Polen

Pod koniec XVI w. stały w tym miejscu dworki i browary, które zakupił w roku 1593 – jeszcze jako biskup płocki Wojciech Baranowski i zaczął wznosić pałac dla siebie i swoich następców. Zostawszy arcybiskupem gnieźnieńskim i prymasem, zmienił zamiar i w roku 1612 zapisał pałac kapitule gnieźnieńskiej, przeznaczając go na mieszkanie prymasów. Budowę rezydencji dokończył prymas Wawrzyniec Gembicki, a do jej ozdobienia przyczynił się prymas Jan Lipski.
Pałac został zniszczony w czasie wojen szwedzkich, odbudował go w latach 1666–1673 prymas Mikołaj Prażmowski pod kierunkiem Józefa Fontany. Ponowna restauracja i powiększenie pałacu nastąpiło w latach 1690–1691 z inicjatywy prymasa Michała Radziejowskiego, być może według projektu Tylmana z Gameren.
W roku 1704 król August II zająwszy przedmieścia Warszawy wydał pałac prymasa Radziejowskiego, swego wroga politycznego, na łup Sasów, Kozaków i Wołochów, którzy spustoszyli budynek. Odbudowę podjął prymas Stanisław Szembek – przy pałacu zatrudniony był wówczas architekt Jan Chrzciciel Ceroni; wnętrza pałacowe ozdobił później prymas Teodor Potocki.
W latach 1749–1759 z inicjatywy prymasa Adama Ignacego Komorowskiego rezydencja otrzymała szatę rokokową. Widok pałacu po tej restauracji utrwalił na bordiurze planu Warszawy z roku 1762 Pierre Ricaud de Tirregaille.
Wielką przebudowę pałacu w stylu klasycystycznym podjął prymas Antoni Ostrowski, który powierzył wykonanie projektów Efraimowi Schroegerowi. W latach 1777–1783 budową kierował Schroeger, a po jego śmierci Szymon Bogumił Zug. Dzieło zaczęte przez prymasa Ostrowskiego kontynuował jego następca, prymas Michał Poniatowski, brat Stanisława Augusta. Przy dekoracji wnętrz pałacowych pracował

wówczas architekt królewski Jan Chrystian Kamsetzer. W wyniku zaprojektowanej przez Schroegera przebudowy do środkowego ryzalitu korpusu głównego dodano czterokolumnowy joński portyk, a ryzality boczne podwyższono ślepymi ściankami, pozostawiając barokowy łamany dach nad częścią środkową budynku. Do korpusu głównego dostawiono dwa ćwierćkoliste skrzydła zakończone pawilonami z doryckimi portykami kolumnowymi. Dobudowano również pawilon mieszczący wspaniałą klasycystyczną salę balową. Szereg pomieszczeń otrzymało wówczas nową dekorację w stylu klasycystycznym m.in. Sala Audiencjonalna, Sala Żółta, Sala Mozaikowa, Sala Błękitna.
W lewym skrzydle, na pierwszym piętrze, urządzono okazały apartament dla kasztelana ciechanowskiego Józefa Oborskiego, marszałka dworu prymasa Poniatowskiego i starosty generalnego miast arcybiskupich. Karierę zawdzięczał Oborski swej pięknej żonie, Petroneli z Ostrowskich, która była metresą prymasa. Królowała na wtorkowych przyjęciach w pałacu Prymasowskim i ubierała się chętnie na fioletowo, aby w ten sposób zamanifestować swój bliski związek z księciem Kościoła.
Prymas Michał Poniatowski zmarł w swym pałacu warszawskim 12 sierpnia 1794 roku w dramatycznych okolicznościach. Podczas insurekcji kościuszkowskiej przechwycono jego list do króla pruskiego, w którym wskazywał słabe punkty obrony Warszawy. Zagrożony aresztowaniem zażył truciznę dostarczoną mu podobno przez króla Stanisława Augusta.
Pałac Prymasowski uchodził u schyłku XVIII w. za jedną z najwspanialszych rezydencji stolicy.
Po upadku powstania w pałacu rezydował przez pewien czas znienawidzony przez ludność Warszawy, krwawy zdobywca miasta feldmarszałek Aleksander Suworow. W okresie okupacji pruskiej miał tu swą siedzibę minister Karl Georg Heinrich von Hoym. W okresie Księstwa Warszawskiego pałac przeszedł na własność rządu. W czasach Królestwa Polskiego, w latach 1816–1832, mieściła się tu Komisja Rządowa Wojny, później biura rozmaitych instytucji wojskowych, po roku 1870 wojskowa szkoła junkrów, a następnie Zarząd Inżynierii Wojskowej. W XIX w. pałac wielokrotnie przerabiano, nad korpusem głównym niefortunnie nadbudowano piętro.
W roku 1927 pałac adaptowano, również niezbyt szczęśliwie, na siedzibę Ministerstwa Rolnictwa i Reform Rolnych. Projektantem tej adaptacji był Marian Lalewicz. We wrześniu 1939 roku pałac spalił się od bomb niemieckich. Odbudowę według projektu i pod kierunkiem Kazimierza Saskiego podjęto w 1949 roku. Pałacowi przywrócono wygląd zewnętrzny taki, jaki otrzymał u schyłku XVIII w., zrekonstruowano również niektóre wnętrza i przeznaczono go na siedzibę Naczelnej Dyrekcji Muzeów i Ochrony Zabytków. Obecnie mieszczą się tu instytucje podległe Ministerstwu Kultury i Sztuki.

PORTYK KORPUSU GŁÓWNEGO PAŁACU
FRONT PORTICO
PORTIKUS DES HAUPTGEBÄUDES

Bishop of Płock and later archbishop of Gniezno Wojciech Baranowski began the construction of the palace in the last years of the 16th century. In the 17th and 18th centuries the residence was twice destroyed and twice rebuilt, owing its present neoclassical appearance to the Primate Antoni Ostrowski and to the architect Ephraim Schroeger who designed it and supervised the work in 1777–1783. The work was continued by Szymon Bogumił Zug. The Royal architect Jan Chrystian Kamsetzer was employed to decorate the interiors. In the 19th century the palace no longer served the Primates of Poland. The interiors were repeatedly transformed and a first floor was even added above the structure's corpus. In September 1939 German bombs started a fire; the rebuilding began in 1949.

Mit dem Bau der Residenz begann in den letzten Jahren des 16. Jh. Wojciech Baranowski, zuerst Bischof von Płock und später Erzbischof von Gnesen. Im 17. und 18. Jh. wurde der Palast zweimal zerstört und wiederaufgebaut. Sein heutiges Aussehen hat er Primas Antoni Ostrowski zu verdanken, auf dessen Antegung hin er neoklassizistischen Charakter bekam. Den Entwurf für den Umbau arbeitete der Architekt Ephraim Schröger aus. In den Jahren 1777–1783 leitete dieser auch die Ausführung des Vorhabens, später leitete Simon Gottlieb Zug die Arbeiten. An der Ausschmückung der Innenräume des Palastes wirkte der königliche Hofarchitekt Johann Christian Kamsetzer mit. Im 19. Jh. hörte der Palast auf, als Residenz des Primas von Polen zu dienen. Er wurde mehrfach umgestaltet, und das Hauptgebäude wurde aufgestockt. Im September 1939 wurde das Bauwerk von deutschen Bomben getroffen und brannte ab. Mit dem Wiederaufbau wurde 1949 begonnen.

Pałac Mniszchów
The Mniszech Palace
Mniszech-Palast

Teren, na którym wznosi się pałac, zakupił w roku 1714 Józef Wandalin Mniszech, marszałek wielki koronny i w następnym roku przystąpił do budowy istniejącego do dziś pałacu. Od roku 1716 robotami kierował Burchard Christoph von Münnich. Był on zapewne projektodawcą późnobarokowej rezydencji składającej się z korpusu głównego i dwóch prostopadłych skrzydeł bocznych, ujmujących wielki dziedziniec honorowy. Przed rokiem 1762 pałac został przebudowany według projektu Pierre'a Ricaud de Tirregaille. Umieścił on widok nowo ukształtowanego pałacu na bordiurze swego słynnego planu Warszawy (1762). W roku 1790 Józefina z Mniszchów Potocka, żona Szczęsnego, sprzedała pałac księciu Stanisławowi Poniatowskiemu, podskarbiemu litewskiemu. Ten ostatni w tym samym jeszcze roku odstąpił go bankierowi i przemysłowcowi Protowi Potockiemu. Później rezydencja przeszła na własność Katarzyny z Potockich Kossakowskiej, kasztelanowej kamieńskiej, która w roku 1801 aktem darowizny przekazała ją Janowi Feliksowi Potockim. Obaj Potoccy użytkowali tylko korpus główny pałacu, skrzydła boczne sprzedali, ogród zaś rozparcelowali. W roku 1805 po pożarze pałacu Potoccy sprzedali go urzędnikowi pruskiemu Fryderykowi Wilhelmowi Mosqua. Nowy właściciel odnowił budynek i urządził w nim salę koncertową. W pałacu mieściło się również Towarzystwo Muzyczne „Harmonia" założone przez mieszkającego tu Ernesta Teodora Amadeusza Hoffmanna.
W roku 1829 pałac stał się własnością Resursy Kupieckiej i w tym samym roku został gruntownie przebudowany w stylu klasycystycznym przez Adolfa Schucha. Do roku 1939 odbywały się tu zebrania, loterie, odczyty, bale i jubileusze. W czasie powstania warszawskiego w pałacu mieścił się szpital.
Spalony przez Niemców budynek został po wojnie odbudowany według projektu Mieczysława Kuzmy. Pałac Mniszchów jest siedzibą ambasady Królestwa Belgii.

The construction of the late baroque palace, composed of the main house and side wings, was began in 1715 by Józef Wandalin Mniszech, presumably to designs by Burchard Christoph von Münnich. Before 1762, the residence was rebuilt to plans made by Pierre Ricaud de Tirregaille. At the turn of the 18th century, it frequently changed owners who used only the main wing, the side wings having been sold. In 1829 the palace was acquired by the Merchant Club which undertook to rebuild the palace in a neoclassical style, to designs by Adolf Schuch. Following rebuilding after war damage, the palace is now used as the seat of the Belgian Embassy.

Mit dem Bau des aus dem Hauptgebäude und zwei Seitenflügeln bestehenden spätbarocken Palastes begann 1715 Józef Wandalin Mniszech, sicherlich nach einem Entwurf Burchard Christoph von Münnichs. Vor 1762 wurde der Familiensitz nach einem Entwurf von Pierre Ricaud de Tirregaille umgebaut. Ende des 18. Jh., Anfang des 19. Jh. wechselte er oftmals den Besitzer. Diese benutzten nur das Hauptgebäude, während die Seitenflügel verkauft wurden. 1829 wurde der Palast Eigentum der Kaufmannsgilde, und im selben Jahr begann man damit, ihn nach einem Entwurf von Adolf Schuch in neoklassizistischem Geiste umzubauen. Der im Krieg zerstörte Palast ist als belgische Botschaft wiederaufgebaut worden.

Pałac Blanka
The Blank Palace
Blank-Palais

Pałac powstał najprawdopodobniej w latach 1762–1764, wzniesiony według projektu Szymona Bogumiła Zuga dla Filipa Nereusza Szaniawskiego, starosty kąkolewnickiego i bolesławskiego. Budowla ta powtarza charakterystyczny dla pierwszej połowy XVIII w. schemat kompozycyjny paryskich rezydencji podmiejskich. Korpus główny pałacu, tak jak w wielu rezydencjach Faubourg St. Germain, umieszczony jest w głębi dziedzińca otoczonego niższymi oficynami ujmującymi bramę, przez którą widoczny jest tylko wieloboczny ryzalit korpusu nakryty łamanym dachem i zwieńczony trójkątnym frontonem z rokokowym kartuszem. Architektura zewnętrzna pałacu należy jeszcze do późnego baroku, jednakże w jej dekoracji widoczne są już wyraźnie motywy klasycystyczne występujące równolegle z rokokowymi i późnobarokowymi. W roku 1776 Filip Nereusz Szaniawski sprzedał pałac Aleksandrowi Soldenhoffowi, generałowi wojsk koronnych, który w następnym roku odstąpił siedzibę znanemu bankierowi warszawskiemu, Piotrowi Blankowi. Nowy właściciel wspaniale urządził pałac. Projekt przekształcenia wnętrz wykonał bądź Jan Chrystian Kamsetzer, bądź Szymon Bogumił Zug. Wnętrza utrzymane były w stylu klasycystycznym. Szczególnie piękny był westybul z czterema doryckimi kolumnami, który prowadził na okazałą klatkę schodową. Charakter reprezentacyjny miały sale w amfiladzie na pierwszym piętrze, wszystkie zwrócone na południe. Najpiękniejszą z nich była owalna sala zwana Muszlową, znajdująca się we wspomnianym już ryzalicie. Piotr Blank zgromadził w pałacu kolekcję obrazów i rzeźb, wnętrza jego siedziby imponowały bogactwem i jednocześnie dobrym smakiem.

Po śmierci Blanka w roku 1797 pałac nabył z licytacji szambelan Michał Budziszewski i zaczął przerabiać jego wnętrze na lokale mieszkalne. W 1826 roku nieruchomość przeszła na własność córki szambelana Józefy Kazimierzowej Szepietowskiej. Po jej śmierci w roku 1853 pałac odziedziczyła córka Adelajda, żona Aleksandra Kierznowskiego. W czasie powstania styczniowego pałac został skonfiskowany dotychczasowym właścicielom i dwa lata okupowany przez rosyjskie wojsko i komisję śledczą. Powodem tej represji był udział niektórych mieszkańców pałacu w powstaniu. Gdy pałac zwrócono Kierznowskim, wymagał generalnego remontu, który przeprowadzono w bardzo skromnym zakresie. W roku 1896 pałac nabył od rodziny Kierznowskich magistrat warszawski na pomieszczenia biurowe. W dwudziestoleciu międzywojennym budynkowi nadano funkcję reprezentacyjną: tu przyjmował oficjalnych gości prezydent miasta. Z inicjatywy prezydenta Stefana Starzyńskiego w latach 1935–1938 został pod kierunkiem Stanisława Gądzikiewicza przeprowadzony gruntowny remont obiektu, przywracający mu stan i wygląd z okresu rozkwitu. Po kapitulacji Warszawy we wrześniu 1939 roku pałac zajęli Niemcy. W okresie okupacji był siedzibą niemieckiego urzędu nadzorującego działalność polskiego zarządu miasta. W czasie powstania warszawskiego budynek uległ zniszczeniu, urządzenie wnętrz wywieziono wcześniej do Niemiec. Po wojnie pałac odbudowano pod kierunkiem Elżbiety Trembickiej. Obecnie mieści się w nim m.in. Urząd Konserwatora Zabytków Miasta Warszawy i Województwa Warszawskiego. W ścianę lewego skrzydła pałacu od ulicy Senatorskiej wmurowana jest tablica informująca, że w jego murach poległ 4 sierpnia 1944 roku żołnierz AK, poeta Krzysztof Kamil Baczyński.

This late baroque palace was constructed for Filip Nereusz Szaniawski most probably in 1762–1764; it was built to designs by Szymon Bogumił Zug. In 1776 the palace became the property of a rich Warsaw banker, Piotr Blank, who commissioned the royal architect Jan Chrystian Kamsetzer to rebuild the interiors in a neoclassical style. In the 19th century the old residence was turned into a tenement house and changed owners repeatedly. In 1935–1938, after the building was acquired by the Town Municipality, it was adapted for the official needs of the City President. It was destroyed in 1944 and rebuilt after the war. Today it houses the office of the Chief Monuments Conservator of Warsaw.

Entstanden ist das spätbarocke Palais aller Wahrscheinlichkeit nach in den Jahren 1762–1764, errichtet nach einem Entwurf von Simon Gottlieb Zug für Filip Nereusz Szaniawski. Seit 1776 war der reiche Warschauer Bankier Piotr Blank der Besitzer des Palais. Dieser beauftragte den königlichen Hofarchitekten Johann Christian Kamsetzer, das Innere im Geiste der neoklassizistischen Architektur umzubauen. Im 19. Jh. wurde das ehemalige Palais zu einem Mietshaus und wechselte unablässig den Besitzer. Nach dem Aufkauf des Gebäudes durch den Magistrat wurde es in den Jahren 1935–1938 Repräsentationszwecken des Stadtpräsidenten angepaßt. Nach dem Krieg baute man das 1944 zerstörte Palais wieder auf. Heute ist darin u.a. das Amt des Denkmalpflegers der Stadt und der Wojewodschaft Warschau untergebracht.

BRAMA NA DZIEDZINIEC
COURTYARD GATE
EINFAHRTSTOR AUF DEN INNENHOF

HALL I KLATKA SCHODOWA
HALL AND STAIRCASE
EINGANGSHALLE UND TREPPENHAUS

Pałac Pod Blachą
The Palace Under-the-Tin-Roof
Palast unter dem Blechdach

W roku 1651 kowal i płatnerz Wawrzyniec Reffus przystąpił do budowy piętrowej kamienicy na gruncie nadanym mu przez króla Jana Kazimierza, znajdującym się tuż przy Zamku. Kamienica ta była na pewno gotowa w roku 1656, a w rok później uległa zniszczeniu w czasie szturmowania Warszawy przez wojska księcia siedmiogrodzkiego Stefana Rakoczego. Odbudowa jej ciągnęła się bardzo długo, skoro w roku 1687 nie była jeszcze ukończona. W roku 1698 nabył kamienicę od rodziny Reffusów kanonik wileński Krzysztof Montwid Białłozor, sekretarz Jego Królewskiej Mości i niebawem oddał ją w użytkowanie księciu Jerzemu Dominikowi Lubomirskiemu, podkomorzemu koronnemu. Lubomirski przebudował kamienicę, dodając jej od zachodu pałacową fasadę i dobudowując od południa skrzydło prostopadłe do już istniejącej budowli. W roku 1720 stał się właścicielem nieruchomości i wkrótce przystąpił do ponownej przebudowy swej siedziby. Od północy dodano drugie skrzydło, dzięki czemu powstał obszerny dziedziniec honorowy.

Pałac otrzymał późnobarokową szatę, którą w zasadzie zachował do dziś (podobnie jak nazwę pochodzącą od blaszanego pokrycia dachu). Takim uwiecznił go Bernardo Be-

KARTUSZ Z HERBEM „CIOŁEK" W ELEWACJI FRONTOWEJ
CARTOUCHE WITH THE „CIOŁEK" ARMS
KARTUSCHE MIT CIOŁEK-WAPPEN AN DER HAUPTFASSADE

llotto, zwany Canalettem, na dwóch obrazach malowanych w latach 1772 i 1773. Po śmierci Jerzego Dominika Lubomirskiego w roku 1727 pałac przeszedł na własność jego synów: Antoniego Benedykta, marszałka wielkiego koronnego i Franciszka Ferdynanda, miecznika koronnego. Z kolei po śmierci tego ostatniego w roku 1774 pałac odziedziczył książę Marcin Lubomirski, syn Antoniego Benedykta, marszałek wielki koronny, marszałek konfederacji barskiej, który po dwóch zaledwie latach sprzedał pałac warszawskiemu kupcowi Henrykowi Colignonowi.
W roku 1776 właścicielem pałacu stał się król Stanisław August i włączył go do kompleksu zabudowań zamkowych. Król już w roku 1777 zlecił Dominikowi Merliniemu przebudowę wnętrz pałacowych na pomieszczenia dla znakomitych dworzan. Przez dłuższy czas mieszkał tu Michał Jerzy Wandalin Mniszech, marszałek wielki koronny, wraz z drugą żoną Urszulą z Zamoyskich, siostrzenicą Stanisława Augusta. W tym czasie północne skrzydło pałacu zostało nadbudowane o dwa piętra i połączone ze wzniesioną w latach 1780–1784 biblioteką zamkową.
W roku 1794 król ofiarował pałac Pod Blachą swemu bratankowi księciu Józefowi Poniatowskiemu. Książę mieszkał w nim w latach 1798–1806. Warszawa była wówczas pod panowaniem pruskim. Książę Pepi, jak nazywano Poniatowskiego, pędził hulaszczy tryb życia, utrzymywał wspaniały dwór, a honory domu w pałacu Pod Blachą i pałacu w Jabłonnie pełniła jego przyjaciółka hrabina Henrietta z Barbantanów de Vauban, emigrantka z Francji.
Po bohaterskiej śmierci księcia Józefa, marszałka Francji w armii Napoleona, pałac odziedziczyła jego siostra, Teresa z Poniatowskich Tyszkiewiczowa, która w roku 1820 sprzedała go carowi Aleksandrowi I. W pałacu ulokowano rozmaite biura. W latach

Pałac Pod Blachą
The Palace Under-the-Tin-Roof
Palast unter dem Blechdach

1850–1854 poddano go restauracji pod kierunkiem Gustawa Corri. Wtedy obniżono znacznie dach nad korpusem głównym.
W pierwszych latach niepodległości po pierwszej wojnie światowej mieściło się tu Ministerium Spraw Wojskowych, a potem Centralna Biblioteka Wojskowa; od roku 1922 część pomieszczeń zajmowała Dyrekcja Zbiorów Państwowych, a w roku 1924 otrzymał mieszkanie w skrzydle południowym Stanisław Przybyszewski. W latach 1932–1937 przeprowadzono gruntowną restaurację pałacu według projektu Adolfa Szyszko-Bohusza, który przywrócił mu wysoki dach kryty miedzianą blachą. Odnowiono również starannie elewacje. W roku 1932 Szyszko-Bohusz, chcąc przywrócić pałacowi wygląd sprzed roku 1777, polecił rozebrać nadbudowane przez Dominika Merliniego dwa piętra nad skrzydłem północnym. Roboty rozbiórkowe przeprowadzono dopiero w roku 1937.
W roku 1939 pałac Pod Blachą ocalał, dopiero zimą 1944 roku po powstaniu warszawskim Niemcy spalili korpus główny. Skrzydła boczne częściowo ocalały. Odbudowany w latach 1948–1949 według projektu Stanisława Barana mieścił biura i pracownie Naczelnego Architekta Warszawy, obecnie został przyłączony do Zamku.

◀ WIDOK OD STRONY WISŁY
VIEW FROM THE VISTULA
ANSICHT VON DER WEICHSEL HER

FRONTON W ELEWACJI OD STRONY WISŁY
PEDIMENT IN THE RIVER FRONT
FRONTISPIZ DER FASSADE AN DER WEICHSELSEITE

The late baroque palace in its present form was erected during the first quarter of the 18th century. The project was initiated by Prince Jerzy Dominik Lubomirski. The new structure incorporated the existing Reffus tenement house. In 1776, King Stanislaus Augustus became the owner and incorporated the building into the Royal Castle complex. In 1794, he offered the palace to his nephew Prince Józef Poniatowski who lived here in the years 1798–1806. The Germans burned it in 1944; the wings partly survived. The palace was rebuilt in 1948–1949.

In seiner heutigen Gestalt ist der spätbarocke Palast auf Initiative des Fürsten Jerzy Dominik Lubomirski im ersten Viertel des 18. Jh. entstanden. In das Bauwerk ging das früher dort existierende Reffus-Haus ein. 1776 wurde König Stanislaus August Besitzer des Palastes und bezog ihn in den Komplex der Gebäude des Königsschlosses ein. 1794 schenkte er den Palast seinem Neffen Fürst Józef Poniatowski, der 1798–1806 dort wohnte. 1944 brannten die Deutschen das Hauptgebäude des Palastes nieder, während die Seitenflügel teilweise erhalten blieben. In den Jahren 1948–1949 wurde das Ganze wiederaufgebaut.

Pałac Prezydencki (Koniecpolskich, Radziwiłłów)
The Presidential Palace (Koniecpolskich, Radziwiłłów)
Präsidentenpalast oder Koniecpolski- bzw. Radziwiłł-Palast

Zwany jest również pałacem Koniecpolskich, Radziwiłłów, Namiestnikowskim, Rady Ministrów, a ostatnio bywa nazywany Prezydenckim, od kolejnych właścicieli i użytkowników. Budowę korpusu głównego dzisiejszego pałacu rozpoczęto około roku 1643, nakryto go dachem zimą 1645 roku i ostatecznie ukończono przed rokiem 1655. Wzniósł go hetman Stanisław Koniecpolski, najprawdopodobniej według projektu włoskiego architekta Costantina Tencalli. W roku 1646 pałac przeszedł na własność syna Stanisława Koniecpolskiego Aleksandra, a następnie na własność wnuka, również Stanisława. W latach 1661–1685 należał do rodziny książąt Lubomirskich, od roku 1674 pertraktowała o jego kupno rodzina książąt Radziwiłłów, która ostatecznie nabyła rezydencję w roku 1685. Była to wczesnobarokowa dwupiętrowa budowla na planie wydłużonego prostokąta, z obu-

stronnymi ryzalitami skrajnymi, stojąca na tarasie wysokiej skarpy wiślanej.

W latach 1694–1705 pałac został przebudowany pod kierunkiem Augustyna Locciego, Karola Ceroniego oraz Andrzeja Jeziornickiego, następnie w latach od około 1720 do 1722 odnowiono go przy udziale Karola Baya. W roku 1728 sprowadzony z Włoch budowniczy Dominik Cioli wyremontował sztuczną grotę pod pałacem i osuszył zawilgocony pałac. W dziesięć lat później rezydencja wymagała gruntownego remontu. W latach 1755–1762 przeprowadzono całkowitą przebudowę pałacu według projektu Jana Zygmunta Deybla. Dodano wówczas skrzydła boczne i przekształcono korpus główny w stylu późnego baroku. Roboty prowadzili budowniczowie Augustyn Roszkiewicz i Tadeusz Jakimowicz. Widok pałacu po tej przebudowie utrwalił na bordiurze znanego planu Warszawy z roku

Pałac Prezydencki (Koniecpolskich, Radziwiłłów)
The Presidential Palace (Koniecpolskich, Radziwiłłów)
Präsidentenpalast oder Koniecpolski- bzw. Radziwiłł-Palast

1762 Pierre Ricaud de Tirregaille. U schyłku XVIII i na początku XIX stulecia w pałacu mieścił się teatr, urządzony w sali balowej na pierwszym piętrze, odbywały się w nim również reduty.
W roku 1818 pałac zakupił od Radziwiłłów rząd Królestwa Polskiego na siedzibę namiestnika, którym był wówczas generał Józef Zajączek. W latach 1818–1819 gruntownie przebudowano pałac w stylu klasycystycznym według projektu Chrystiana Piotra Aignera. Budowlę powiększono przedłużając skrzydła boczne do linii zabudowy Krakowskiego Przedmieścia. Nową reprezentacyjną klatkę schodową Aigner umieścił na miejscu dawnej, pomiędzy korpusem głównym a skrzydłem północnym. Przekształcił również elewacje korpusu głównego: frontowej nadał cechy eleganckiego akademickiego klasycyzmu, ogrodową zaś ukształtował w duchu renesansu. Na nowo skomponował apartamenty pierwszego i drugiego piętra. Parter z powodu masywnych sklepień pozostawiono bez istotniejszych zmian. Najokazalszym wnętrzem przebudowanego przez Aignera pałacu była sala balowa na pierwszym piętrze korpusu głównego obejmująca dwie kondygnacje. Z Aignerem współpracowali liczni artyści, między innymi włoski rzeźbiarz Camillo Landini, autor czterech kamiennych lwów strzegących dziedzińca od Krakowskiego Przedmieścia, oraz malarz Nicola Monti,

FRAGMENT KORPUSU GŁÓWNEGO · PART OF THE MAIN BLOCK · TEILANSICHT DES HAUPTGEBÄUDES

który dekorował jedno z wnętrz na parterze pałacu (dekoracja ta nie zachowała się). Zewnętrzna szata pałacowa przetrwała do dziś bez istotniejszych zmian, natomiast zupełnej niemal zagładzie uległy aignerowskie wnętrza pierwszego i drugiego piętra korpusu głównego, zniszczone przez wielki pożar, który wybuchł 22 lutego 1852 roku. Ocalały tylko pomieszczenia parteru chronione potężnymi sklepieniami. Odbudowę zniszczonych wnętrz prowadził Alfons Kropiwnicki. Wówczas na attyce pałacu ustawiono na miejsce zniszczonych w czasie pożaru osiem nowych figur alegorycznych roboty Pawła Malińskiego. Dwie figury skrajne szczęśliwie z pożaru ocalały. W roku 1856 dekorację sal na przyjazd cara Aleksandra II zaprojektował znany architekt Bolesław Paweł Podczaszyński.

Druga połowa XIX w. oraz pierwsze dziesięciolecie XX obeszły się z pałacem po barbarzyńsku. Władze rosyjskie wprowadziły w nim wiele zmian, polegających na stawianiu tandetnych przepierzeń i wybijaniu dodatkowych przejść między pokojami, nie licząc się zupełnie z zabytkowym charakterem wnętrz. Zniszczono w ten sposób m.in. wielką sień na parterze, dzieląc ją na kilka mniejszych pomieszczeń. Na dziedzińcu przedpałacowym ustawiono w roku 1870 pomnik znienawidzonego namiestnika carskiego Iwana Paskiewicza-Erywańskiego, który usunięto dopiero w roku 1917.

Restauracja pałacu przeprowadzona w latach 1918–1921 pod kierunkiem Mariana Lalewicza przywróciła wnętrzom ich dawny charakter. Pałac przeznaczono wówczas na siedzibę Prezydium Rady Ministrów Polski Odrodzonej. Podczas prac restauracyjnych częściowo zmieniono dotychczasowy układ wnętrz, przystosowując je do nowej roli i nadając im charakter klasycystyczny harmonizujący z architekturą projektowaną przez Chrystiana Piotra Aignera. W roku 1924 przyłączono do pałacu sąsiadującą ze skrzydłem północnym neorenesansową kamienicę (Krakowskie Przedmieście 50), przebudowaną w końcu lat siedemdziesiątych przez Józefa Dietricha.

Okupacja niemiecka w czasie drugiej wojny światowej wyrządziła pałacowi nowe szkody, niektóre wnętrza uległy przekształceniu, gdy urządzano w pałacu Deutsches Haus.

Powojenna gruntowna restauracja budynku została dokonana w latach 1947–1952 pod kierunkiem Teodora Burschego, Antoniego Jawornickiego i Borysa Zinserlinga.

Przed pałacem ustawiono w roku 1965 nowy odlew zniszczonego w czasie ostatniej wojny pomnika księcia Józefa Poniatowskiego autorstwa duńskiego rzeźbiarza Bertela Thorvaldsena.

Pałac był oficjalną siedzibą Prezydium Rady Ministrów aż do lat dziewięćdziesiątych naszego stulecia. Po kolejnym gruntownym remoncie został w 1995 roku przystosowany do potrzeb oficjalnej rezydencji Prezydenta Rzeczypospolitej.

POSĄG KS. JÓZEFA PONIATOWSKIEGO – DZIEŁO B. THORVALDSENA
MONUMENT OF PRINCE JÓZEF PONIATOWSKI BY B. THORVALDSEN
JÓZEF-PONIATOWSKI-DENKMAL VON B. THORWALDSEN

HALL I WEJŚCIE NA PARADNĄ KLATKĘ SCHODOWĄ ►
HALL AND STATE STAIRCASE
EINGANGSHALLE UND PRUNKTREPPE

Pałac Prezydencki (Koniecpolskich, Radziwiłłów)
The Presidential Palace (Koniecpolskich, Radziwiłłów)
Präsidentenpalast oder Koniecpolski- bzw. Radziwiłł-Palast

It is also known as the Radziwiłł, Koniecpolski Palace, the Palace of the Governor, the Palace of the Council of Ministers, and lately the Presidential Palace, after the successive owners and users. The oldest part of the building is the baroque corpus built for Stanisław Koniecpolski between c. 1643 and c. 1655, presumably to designs by Constantino Tencalla. In the years 1661–1685, the palace was in the possession of the Princes Lubomirski, passing into the hands of the Radziwiłłs in 1818. It was rebuilt and enlarged repeatedly, e.g. in the 18th century two wings were added and the building was given a late baroque decor. In 1818–1819, the building underwent some fundamental changes and was adapted to the needs of the Russian governor in Warsaw. Chrystian Piotr Aigner was the author of the new neoclassical design and it is this appearance which the building preserves today. The interior, on the other hand, has been remodelled repeatedly. Between the wars and after the Second World War the palace was the residence of the Council of Ministers of the Restored Polish State; since 1995 it has become the official residence of the President of the Polish Republic. In 1961, a new cast of the monument of Prince Joseph Poniatowski by the Danish sculptor Bertel Thorvaldsen was set up in front of the palace; the original monument was destroyed in the last war.

SALA BALOWA NA PIERWSZYM PIĘTRZE · BALLROOM ON THE FIRST FLOOR · BALLSAAL IM ERSTEN STOCK

Nach seinen verschiedenen Besitzern oder Nutznießern wird der Palast Koniecpolski-, Statthalter-, Ministerrats- und in letzter Zeit auch Präsidentenpalast genannt. Der älteste Teil ist das zwischen ca. 1643 und ca. 1655 wahrscheinlich nach einem Entwurf von Costantino Tencalla im Barockstil für Stanisław Koniecpolski errichtete Hauptgebäude. 1661–1685 gehörte der Palast den Fürsten Lubomirski und dann bis 1818 den Fürsten Radziwiłł. Er wurde häufig um- und ausgebaut. Im 18. Jh. bekam er z.B. ein spätbarockes Äußeres, und an das Hauptgebäude wurden die beiden Seitenflügel angebaut. 1818–1819 wurde das Gebäude nach einem Entwurf von Christian Peter Aigner gründlich im neoklassizistischen Stil umgebaut und den Bedürfnissen als Amtssitz des Statthalters von Zar Alexander I. in Warschau angepaßt. Das neoklassizistische Äußere hat sich bis heute gehalten, während das Innere häufig umgestaltet worden ist. In der Zwischenkriegszeit und nach dem zweiten Weltkrieg hat der Palast als Residenz des Präsidiums des Ministerrates des wiedergeborenen polnischen Staates gedient, und seit 1995 ist er der Amtssitz des Präsidenten der Republik Polen. Im Jahre 1961 hat man vor dem Palast einen neuen Abguß des im letzten Krieg zerstörten Józef-Poniatowski-Denkmals des dänischen Bildhauers Bertel Thorwaldsen aufgestellt.

GŁÓWNY HALL NA PARTERZE · MAIN HALL ON THE GROUND FLOOR · HAUPTHALLE IM ERDGESCHOSS

SALA KONFERENCYJNA NA PARTERZE
CONFERENCE ROOM ON THE GROUND FLOOR
KONFERENZSAAL IM ERDGESCHOSS

WIDOK NA PAŁAC OD STRONY OGRODU ►
PALACE VIEW FROM THE GARDEN
BLICK AUF DEN PALAST VOM GARTEN HER

Pałac Tyszkiewiczów
The Tyszkiewicz Palace
Tyszkiewicz-Palast

Pałac wzniósł Ludwik Tyszkiewicz, hetman polny litewski, ożeniony z bratanicą króla Stanisława Augusta, Konstancją Poniatowską. Król lubił bardzo rodzinę Tyszkiewiczów, bo i drugą bratanicę Teresę wydał za przedstawiciela tego rodu, mianowicie za Wincentego, referendarza wielkiego litewskiego. Nic zatem dziwnego, że w Warszawie powtarzano sobie żartobliwy wierszyk:

Tyszkiewicza
Król policza
Między bliskie swoje
Dał jednemu
Dał drugiemu
Swych synowic dwoje.

Ludwik Tyszkiewicz w roku 1781 zawarł kontrakt ze znanym architektem Stanisławem Zawadzkim na wystawienie pałacu, który miał być gotów w 1783 roku. Jednak roboty rozpoczęto dopiero w roku 1785, w rok później mury budowli były już wyciągnięte pod pierwsze piętro. W roku 1786 hetman Tyszkiewicz z niewiadomych przyczyn zawarł nowy kontrakt tym razem z architektem królewskim Janem Chrystianem Kamsetzerem, który na nowo zaprojektował pałac, zobowiązał się do osobistego nadzoru budowlanego i do zajęcia się sprawą dekoracji i urządzenia. W konktrakcie zastrzeżono, że nowy architekt ma liczyć się z planem pierwotnym, lecz nie bezwzględnie. Roboty przy budowie i dekoracji pałacu trwały do 1792 roku. Przy dekoracji wnętrz Kamsetzer zatrudnił współpracujących z nim stale sztukatorów: Paola Casasopra, Giuseppe Amadia i Jana Michała Graffa. Do ozdobienia pałacu przyczynili się również sztukatorzy Józef Probst i Giuseppe Borghi, rzeźbiarz Johann Duldt i malarz Wawrzyniec Jasiński. Atlanty wspierające balkon elewacji od strony Krakowskiego Przedmieścia wykonał rzeźbiarz królewski André le Brun, z którym współpracował Giacomo Contieri.

Pałac Tyszkiewiczów reprezentuje rzadszy w Warszawie typ pałacu przyulicznego. Architekt opracował starannie tylko elewacje od strony Krakowskiego Przedmieścia i od placu przed kościołem Wizytek, natomiast tymi od podwórza zbytnio się nie interesował. Z wnętrz pałacu wyróżniał się westybul i klatka schodowa z czterema kolumnami podtrzymującymi podest, podobnie jak w pałacu Blanka przy ulicy Senatorskiej. Apartamenty reprezentacyjne znajdowały się na pierwszym piętrze, od strony Krakowskiego Przedmieścia. Wśród nich na specjalną uwagę zasługuje Sala Stołowa obejmująca dwie kondygnacje, utrzymana w jasnej tonacji, przypominająca trochę Salę Balową w pałacu Na Wyspie w Łazienkach, dalej Sala Bilardowa ze ścianami pokrytymi barwnymi stiukami, wreszcie owalna Sala Gościnna, zwana także Muszlową, również dwukondygnacjowa, ze sklepieniem zakończonym po obu stronach konchami. Pozostałe pokoje pierwszego

piętra miały charakter mieszkalny, podobnie jak te na parterze.
Po śmierci Ludwika Tyszkiewicza w roku 1808 pałac odziedziczyła jego córka Anna, zamężna po raz pierwszy za hrabią Aleksandrem Potockim, a po raz drugi za Stanisławem Dunin-Wąsowiczem. W roku 1840 pałac odkupił od Anny jej starszy syn z pierwszego małżeństwa, August Potocki. W roku 1867 budynek przeszedł na własność jej młodszego syna Maurycego, po którym odziedziczył go w roku 1879 syn tego ostatniego, noszący imię August, zwany powszechnie „hrabią Guciem". August Potocki junior był niewątpliwie jedną z najbarwniejszych postaci w Warszawie u schyłku XIX stulecia. Znany birbant i hulaka, bohater niezliczonych anegdot, lubiany przez mieszkańców Warszawy za jego nieprzejednany stosunek do powszechnie znienawidzonego generała-gubernatora Warszawy Josifa Hurki. Znany komediopisarz i autor ciekawych pamiętników, Stefan Krzywoszewski tak scharakteryzował „hrabiego Gucia": „Łatwy w obejściu, uśmiechnięty – dosadny w soczystych dowcipach i powiedzonkach, przy tym po wielkopańsku hojny – tym jeszcze jednał sobie sympatię, że uparcie stronił od Zamku, żadnych dworskich rang nie piastował. Dziedzic pięknej Jabłonny, trybem życia – od złej strony – naśladował swobodę obyczajów księcia Józefa bez jego bohaterstwa i zasług. Hrabia Gucio lubił ładne i dostępne kobiety, szlachetne wino, dobre polowanie i hazard. Otaczał się gronem ludzi wesołych i dowcipnych, bez względu na ich pochodzenie i stanowisko towarzyskie. Tak samo, jak książę Józef, nie potrafił gospodarować ogromną fortuną, którą w spadku otrzymał. Jabłonna, Nieporęt, piękny pałac w Warszawie, Zator w Galicji, olbrzymie leśne przestrzenie Berezyny – winny były nieść ogromne dochody; hrabia Gucio stale bywał w kłopotach. Komornik – nierzadkim bywał w pałacu na Krakowskim Przedmieściu gościem. Gospodarz przyjmował go z żartobliwą nonszalancją, czasem szklanką szampana częstował. W poważnych kołach obywatelskich surowo odzywano się o utracjuszowskich fantazjach i swobodnym życiu młodego magnata. Ale gdy w dzień wyścigów konnych w Alejach Ujazdowskich ukazywał się jego potężny brek w cztery folbluty zaprzężony, wszystkie oczy biegły za wspaniałym pojazdem, przechodnie uśmiechali się pobłażliwie: – Hrabia Gucio!".
W XIX w. w pałacu zaszły stosunkowo niewielkie zmiany. W latach 1821–1822 powstała nowa oficyna od strony kościoła Wizytek i łącząca się z nią brama na dziedziniec, wzniesione według projektu Fryderyka Alberta Lessla. Nowe murowane stajnie i wozownie oraz oranżerię wzniesiono wokół dziedzińca w latach 1841–1846. Projektantem tych budowli był Henryk Marconi, który w tym samym czasie odnowił i częściowo przebudował wnętrza pałacu. Niektóre pomieszczenia otrzymały wówczas dekorację neorenesansową. Przy dekoracji malarskiej czynni byli m.in. dwaj Włosi, Michał Chiarini i nie znany z imienia Leati. Po śmierci hrabiego Gucia w roku 1905 pałac odziedziczył jego jedyny syn Maurycy. W jego rękach pozostawał do roku 1923, kiedy to został sprzedany Bankowi Gospodarstwa Krajowego. Później był siedzibą Polskiej Akademii Literatury, a także działu starodruków Biblioteki Narodowej.
W roku 1944 pałac został doszczętnie spalony przez Niemców. Odbudowano go w latach 1948–1956 według projektu Jana Dąbrowskiego na potrzeby Uniwersytetu Warszawskiego. Westybul, klatka schodowa, Sala Stołowa, Sala Bilardowa i Sala Gościnna odzyskały swój dawny charakter, pozostałym wnętrzom nie udało się w tym stopniu przywrócić pierwotnego wyglądu. Obecnie w pałacu mieści się m.in. Gabinet Rycin Biblioteki Uniwersytetu Warszawskiego i Czytelnia Starych Druków.

ATLANTY WSPIERAJĄCE BALKON PIERWSZEGO PIĘTRA W ELEWACJI FRONTOWEJ
ATLANTES SUPPORTING THE FIRST-FLOOR BALCONY IN THE FACADE
DEN BALKON IM ERSTEN STOCK STÜTZENDE ATLANTEN AN DER VORDERSEITE

ELEWACJA BOCZNA OD STRONY PAŁACYKU PRZED KOŚCIOŁEM WIZYTEK
SIDE VIEW FROM THE SQUARE IN FRONT OF THE NUNS OF THE VISISTATION CHURCH STAIRCASE
SEITENFASSADE ZUM KLEINEN PLATZ VOR DER VISITANTINNENKIRCHE HIN

The neoclassical palace front is in line with the facades on Krakowskie Przedmieście Street. Ludwik Tyszkiewicz began its construction in 1785, originally to designs by Stanisław Zawadzki. A year later, with the ground floor already standing, Tyszkiewicz signed a new contract with the royal architect Jan Chrystian Kamsetzer, who supervised the building and decoration work until 1792. Kamsetzer employed the same sculptors and stucco workers who had ornamented the Royal Castle and the Łazienki Palace-on-Water. The Potockis came into possession of the palace by marriage and remained its owners until 1923. Burned down in 1944, the palace was rebuilt in the years 1948–1956. The Print Room of the Warsaw University Library and the Old Documents Reading Room is presently housed in this building.

Der neoklassizistische Palast steht in der Fluchtlinie der Krakowskie-Przedmieście-Straße. Mit dem Bau begann Ludwik Tyszkiewicz 1785, anfangs nach einem Entwurf von Stanisław Zawadzki. Ein Jahr später, als die Mauern des Erdgeschosses bereits standen, schloß Tyszkiewicz mit dem königlichen Hofarchitekten Johann Christian Kamsetzer einen neuen Vertrag ab. Die Bau- und Ausstattungsarbeiten zogen sich unter dessen Leitung bis 1792 hin. Zur Ausschmückung des Palastes zog Kamsetzer dieselben Bildhauer und Stukkateure heran, die bei der Gestaltung des Interieurs des Warschauer Königsschlosses und des Inselpalais im Łazienki-Park mit ihm zusammenarbeiteten. Durch Eheschließung ging der Palast in den Besitz der Grafen Potocki über und gehörte ihnen bis 1923. 1944 abgebrannt, wurde der Palast 1948–1956 wiederaufgebaut. Gegenwärtig sind in den Gebäude das Kupferstichkabinett der Warschauer Universitätsbibliothek und der Lesesaal für Altdrucke untergebracht.

Pałac Tyszkiewiczów
The Tyszkiewicz Palace
Tyszkiewicz-Palast

◀ KLATKA SCHODOWA
STAIRCASE
TREPPENHAUS

FRAGMENT DEKORACJI SALI MUSZLOWEJ
FRAGMENT DECORATION OF COCKLESHELL HALL
TEILANSICHT DER AUSSCHMÜCKUNG DES MUSCHELSAALS

SALA MUSZLOWA NA PIERWSZYM PIĘTRZE
COCKLESHELL HALL ON THE FIRST FLOOR
MUSCHELSAAL IM ERSTEN STOCK

Pałac Uruskich (Czetwertyńskich)
The Uruski (Czetwertyński) Palace
Uruski- oder Czetwertyński-Palais

Na miejscu istniejącego dziś pałacu znajdował się wzniesiony na przełomie lat trzydziestych i czterdziestych XVIII w. późnobarokowy pałac przypisywany architektowi Janowi Zygmuntowi Deyblowi, należący do Stanisława Poniatowskiego, kasztelana krakowskiego, ojca Stanisława Augusta. Pałac ten przeszedł w roku 1762 na własność brata przyszłego monarchy, Kazimierza Poniatowskiego, podkomorzego wielkiego koronnego. Tu właśnie Stanisław August dowiedział się, że został obrany królem. Pałac ten widnieje na obrazie przedstawiającym Krakowskie Przedmieście od strony Nowego Światu, namalowanym przez Bernarda Bellotta zwanego Canalettem. W roku 1775 córka Kazimierza Poniatowskiego, Konstancja, otrzymała pałac w wianie wychodząc za mąż za Ludwika Tyszkiewicza, pisarza wielkiego litewskiego. Z kolei córka ich Anna sprzedała pałac w roku 1820 generałowi Stanisławowi Mokronowskiemu. Córka tego ostatniego, Antonina z Mokronowskich Potocka, sprzedała nieruchomość w roku 1834 Jakubowi Szymanowskiemu, a ten odsprzedał ją w roku 1843 hr. Sewerynowi Uruskiemu, marszałkowi szlachty gubernii warszawskiej, tajnemu radcy, ochmistrzowi dworu cesarskiego i znanemu heraldykowi.
Uruski polecił zburzyć pałac Poniatowskich i wybudować na jego miejsce nowy. Projekt zamówił u znanego architekta Andrzeja Gołońskiego, który nadał nowej budowli cechy renesansu. Roboty budowlane rozpoczęły się w roku 1844 i trwały trzy lata.

ELEWACJA FRONTOWA OD STRONY KRAKOWSKIEGO PRZEDMIEŚCIA
FACADE ON KRAKOWSKIE PRZEDMIEŚCIE STREET
VORDERANSICHT VON DER KRAKOWSKIE-PRZEDMIEŚCIE-STRASSE HER

KARTUSZ Z HERBEM FUNDATORA PAŁACU „SAS"
CARTOUCHE WITH THE "SAS" ARMS OF THE FOUNDER
KARTUSCHE MIT DEM SAS-WAPPEN DES STIFTERS DES PALAIS

Piętrowy korpus główny odznacza się dwoma ryzalitami skrajnymi wyższymi o piętro i rozczłonkowanymi pilastrami korynckimi. Nad częścią środkową elewacji frontowej widnieje wielki kartusz z herbem fundatora „Sas" dłuta Ludwika Kaufmana. W lewym ryzalicie tej elewacji przed ostatnią wojną znajdowała się brama przejazdowa, wiodąca na dziedziniec otoczony oficynami. Z elewacją frontową pałacu, regularną i symetryczną, kontrastuje elewacja południowa skrzydła bocznego, wychodząca na uliczkę prowadzącą na dziedziniec Pałacu Kazimierzowskiego, malownicza i nieregularna z akcentem wysokościowym w postaci okrągłej wieży. Tylko część pałacu zajęta była przez właściciela i jego rodzinę – w oficynach znajdowały się mieszkania do wynajęcia. Po śmierci Seweryna Uruskiego w roku 1890 pałac przeszedł początkowo na własność jego żony, Ermancji z Tyzenhauzów, a następnie córki Marii, zamężnej od roku 1872 z księciem Włodzimierzem Światopełek-Czetwertyńskim.
W latach 1893–1895 pałac odnowiono pod kierunkiem architekta Józefa Hussa, który wybudował nową oficynę północną zakręcającą ku wschodowi – na miejscu dawnej, mocno już zrujnowanej, pamiętającej zapewne czasy Stanisława Poniatowskiego. Na parterze nowej oficyny mieściły się wozownie, wyżej – mieszkania do wynajęcia. Huss wprowadził również zmiany w ukształtowaniu pozostałych oficyn. W posiadaniu rodziny Czetwertyńskich pałac znajdował się do roku 1946, po czym przeszedł na własność Uniwersytetu Warszawskiego. Był wówczas zniszczony, Niemcy spalili go bowiem po upadku powstania warszawskiego. Został odbudowany w latach 1948–1951 według projektu architekta Jana Dąbrowskiego. Obecnie ma w nim siedzibę Instytut Geografii Uniwersytetu Warszawskiego.

The Uruski Palace, which reveals features of the neo-Renaissance style, stands in line with Krakowskie Przedmieście street facades. It was constructed to designs by Andrzej Gołoński in 1844–1847. Originally for Count Seweryn Uruski, it later belonged to the Princes Czetwertyński. Destroyed in 1944, it was rebuilt in 1948–1951 to house the Institute of Geography of Warsaw University.

Das Stilmerkmale der Neorenaissance-architektur tragende Uruski-Palais gehört zu den Bauten der Krakowskie-Przedmieście-Straße. Es entstand in den Jahren 1844–1847, erbaut nach einem Entwurf Andrzej Gołońskis für den Grafen Seweryn Uruski. Später gehörte es den Fürsten Czetwertyński. 1944 zerstört, wurde es 1948–1951 wiederaufgebaut, um dem geographischen Institut der Warschauer Universität zu dienen.

Pałac Kazimierzowski
The Kazimierzowski Palace
Kazimierzowski-Palast

O kolicznościach powstania pałacu nie są w obecnym stanie badań jasne. Zdaniem jednych historyków sztuki budowę jego rozpoczął Zygmunt III niedługo przed swą śmiercią, zdaniem innych – Władysław IV, który posiadłość tę otrzymał na mocy działów majątkowych w roku 1637. Niewątpliwie pałac wraz z otoczeniem był całkowicie ukończony w roku 1643, wynika to bowiem z opisu w cytowanym już *Gościńcu* Adama Jarzębskiego.

Usytuowaną malowniczo na skraju dawnej skarpy wiślanej letnią rezydencję królewską nazywano w XVII w. z włoska Villa Regia. Jej reprezentacyjna późnorenesansowa elewacja zwrócona była ku Wiśle; na parterze i pierwszym piętrze miała po pięć wielkich arkad, po bokach ujęta była czworobocznymi wieżami. Elewacja od dziedzińca, z malowniczymi dwubiegowymi schodami zewnętrznymi pośrodku, była dziewięcioosiowa; po obu jej stronach znajdowały się smukłe czworoboczne wieżyczki połączone z korpusem pałacu ściankami. Co do autorstwa projektu siedziby królewskiej zdania są podzielone: jedni przypuszczają, że jego twórcą był Giovanni Battista Trevano, inni przekonują, że Matteo Castello bądź Costantino Tencalla.

Pałac został ograbiony i zdewastowany przez Szwedów w roku 1656, a w roku 1660 strawił go pożar. Odbudowę podjął król Jan Kazimierz, od którego imienia budowlę zaczęto wtedy nazywać Pałacem Kazimierzowskim. Przy odbudowie i rozbudowie pałacu pracował Izydor Affaita i Tytus Livius Burattini fizyk, mechanik, astronom, geograf i archelolog, noszący również tytuł architekta. Nie wiadomo jednak, który z nich był projektantem przekształcenia siedziby królewskiej. Być może obydwaj współdziałali przy realizacji projektu innego jeszcze architekta.

Po odbudowie pałac stał się główną rezydencją króla w Warszawie, bowiem zamek został zniszczony podczas najazdu szwedzkiego. Po śmierci królowej Ludwiki Marii w roku 1667 i abdykacji Jana Kazimierza pałac nie był użytkowany.

W roku 1678 przeszedł na własność prywatną Jana III Sobieskiego, jednakże monarcha rzadko w nim przebywał. Za jego panowania pałac zamieszkiwał przez jakiś czas poseł francuski, margrabia de Bethune, a później królewicz Jakub Sobieski. W roku 1695, 28 grudnia pożar doszczętnie strawił rezydencję. W wyniku działów rodzinnych po śmierci Jana III ruiny pałacu wraz z całym przylegającym doń terenem przeszły na własność królewicza Konstantego Sobieskiego, który w latach 1724–1725 odsprzedał posiadłość królowi Augustowi II.

August II od dawna interesował się zrujnowanym pałacem. W latach 1724–1733 na polecenie króla architekci sascy Jan Zygmunt Deybel i Jan Joachim Daniel Jauch wykonali kilka wersji projektu odbudowy pałacu w duchu ozdobnego późnego baroku, które nie doczekały się realizacji. Wybudowano natomiast zwieńczoną blaszanym globusem bramę wjazdową od strony Krakowskiego Przedmieścia oraz osiem pawilonów koszar z pruskiego muru, usytuowanych symetrycznie, po cztery, po bokach dziedzińca przed pałacem.

W roku 1735 August III odstąpił całą posiadłość pierwszemu ministrowi gabinetu saskiego hr. Aleksandrowi Józefowi Sułkowskiemu z zastrzeżeniem dożywotniego użytkowania koszar i stajen. Nowy właściciel zbudował tu wkrótce cegielnię, fabrykę pieców i browar, a niebawem przystąpił do przebudowy pałacu, najprawdopodobniej według wcześniejszych projektów Deybla i Jaucha. Prace trwały od 1737 do 1739 roku. Robotami budowlanymi kierował Carl Friedrich Pöppelmann. Pałac otrzymał nowy wystrój zewnętrzny skomponowany pod wpływem późnego baroku drezdeńskiego i francuskiego rokoka. Elementem wyróżniającym pałac w panoramie Warszawy od strony Wisły była pękata blaszana kopuła nad częścią środkową korpusu. W latach 1765–1766 posiadłość wraz z pałacem nabył Stanisław August Poniatowski z przeznaczeniem na Akademię Szlacheckiego Korpusu Kadetów Jego Królewskiej Mości i Rzeczypospolitej, zwanej Szkołą Rycerską, którą zobowiązał się założyć wstępując na tron. W roku 1765 podjęto przebudowę budynku według projektu Dominika Merliniego. Objęła ona głównie wnętrza, forma zewnętrzna pałacu pozostała niemal bez zmian. Jedyną istotniejszą zmianą było wprowadzenie nad pierwszym piętrem antresoli przeznaczonej na sypialnie kadetów. W Szkole Rycerskiej kształcili się między innymi Tadeusz Kościuszko i Julian Ursyn Niemcewicz. Akademię zamknięto w 1795 roku.

Za czasów okupacji pruskiej w pałacu ulokowano lombard i Najwyższą Radę Sprawiedliwości (Justitz-Magistrat). Po wkroczeniu do Warszawy wojsk Napoleona mieścił się tu szpital wojskowy. W roku 1808, już po utworzeniu Księstwa Warszawskiego, pałac wraz z zabudowaniami znajdującymi się na zajmowanym przez niego terenie przeznaczono na potrzeby władz oświatowych. Cofająca się z Rosji armia francuska zajęła znów pałac na lazaret.

W nocy z 29 na 30 lipca 1814 roku gwałtowny pożar strawił większość zabudowań wokół Pałacu Kazimierzowskiego. Płonący pałac zdołano uratować.

Utworzenie na kongresie wiedeńskim w roku 1815 Królestwa Polskiego, a następnie powołanie w 1816 roku Królewskiego Uniwersytetu Warszawskiego rozpoczęło nowy okres w dziejach Pałacu Kazimierzowskiego, który wraz z otaczającymi go zabudowaniami przeznaczono na siedzibę nowej uczelni. Pałac najpierw odrestaurowano po pożarze w roku 1814, a następnie poddano gruntownej przebudowie trwającej do 1830 roku. Powstała wówczas piękna klasycys-

Pałac Kazimierzowski
The Kazimierzowski Palace
Kazimierzowski-Palast

tyczna fasada z portykiem kolumnowym, którego fronton ozdobiono płaskorzeźbą, przypisywaną Pawłowi Malińskiemu, przedstawiającą Apollina w otoczeniu Poezji i Astronomii. Wnętrza pałacu przekształcono na pomieszczenie biblioteki głównej i Liceum Warszawskiego przeniesionego z pałacu Saskiego. Do dziś nie wiemy na pewno, kto był projektantem przebudowy. W rachubę wchodzi dwóch architektów: Hilary Szpilowski i Wacław Ritschel obaj będący wykładowcami Uniwersytetu, obaj czynnie zaangażowani w kształtowanie uczelni. Przed wybuchem powstania listopadowego w 1830 roku zespół gmachów uniwersyteckich z dominującym Pałacem Kazimierzowskim prezentował się okazale i mógł być ozdobą każdej stolicy europejskiej. Wszystkie gmachy otrzymały staranną oprawę architektoniczną w duchu dojrzałego klasycyzmu, urok tego zespołu podkreślało malownicze położenie na skraju skarpy wiślanej oraz pięknie utrzymana zieleń, w której gmachy tonęły. Po upadku powstania listopadowego władze carskie zamknęły Uniwersytet. W roku 1862 uczelnię przywrócono pod nazwą Szkoły Głównej. Pałac Kazimierzowski został wówczas odnowiony przez Antoniego Sulimowskiego.
Po upadku powstania styczniowego Szkoła Główna została zamknięta. W roku 1869 władze carskie przemieniły uczelnię na Cesarski Uniwersytet Warszawski. Największą inwestycją budowlaną, jaką podjął rosyjski Uniwersytet Cesarski, był wielki gmach biblioteczny wzniesiony w latach 1891–1894 na dziedzińcu przed Pałacem Kazimierzowskim. Projektanci gmachu – Stefan Szyller i Antoni Jasieńczyk-Jabłoński – nadali mu charakter silnie klasycyzującego renesansu. Biblioteka, na pewno nie pozbawiona wartości architektonicznych, zasłoniła niemal zupełnie Pałac Kazimierzowski i zniszczyła na zawsze piękno i rozmach zespołu budowli uniwersyteckich.
Polski Uniwersytet Warszawski przywrócono w 1915 roku. W okresie dwudziestolecia międzywojennego wnętrza Pałacu Kazimierzowskiego zostały przebudowane przez znanego architekta Aleksandra Bojemskiego, który na początku lat trzydziestych zaprojektował także gmach Auditorium Maximum utrzymany w duchu silnie zmodernizowanego klasycyzmu.
Podczas drugiej wojny światowej wielkim zniszczeniom uległy gmachy Uniwersytetu. Pałac Kazimierzowski spalił się od bomb niemieckich. Prace remontowe podjęto już na wiosnę 1945 roku, kiedy Uniwersytet wznowił swą działalność. Pałac Kazimierzowski odbudowano w latach 1945–1954 według projektu i pod kierunkiem Piotra Biegańskiego. W wyniku tej odbudowy pałac otrzymał układ pomieszczeń parteru i pierwszego piętra zbliżony do tego, jaki miał około roku 1830, elewację frontową pozostawiono w zasadzie bez zmian, nie przywrócono jej jednak balustradowej attyki. Elewacje boczne i tylna otrzymały wygląd taki, jaki widnieje na obrazach Bernarda Bellotta zwanego Canalettem. W elewacji tylnej przywrócono między innymi tarasy na arkadach pomiędzy ryzalitami. Dekoracja wnętrz w duchu późnego baroku i klasycyzmu została skomponowana całkowicie na nowo. Pałac Kazimierzowski jest obecnie siedzibą rektora i prorektorów Uniwersytetu Warszawskiego oraz podległych im biur.

KLATKA SCHODOWA · STAIRCASE · TREPPENHAUS

The palace and surroundings were completed by 1643 as indicated by the description in Adam Jarzębski's *Gościniec* (Tract). It was the summer residence of King Ladislaus IV – the "Villa Regia" as it was called in the 17th century. Its official Late Renaissance facade was turned toward the Vistula; on the ground floor and first floor there were five great arcades. The author of this residence remains unknown; some attribute the design to Giovanni Battista Trevano, others to Matteo Castello, still others to Costantino Tencalla. Devastated by Swedish troops occupying Warsaw in 1656, it was burned down in 1660 and rebuilt by King John Casimir. It burned down again in 1695. In the 18th century, it was restored and completely rebuilt in the late baroque style by its then owner, Count Aleksander Sułkowski. Work lasted from 1737 until 1739 and was supervised by Carl Friedrich Pöpelmann who implemented a design attributed to Joachim Daniel Jauch and Jan Zygmunt Deybel. The palace was rebuilt again in 1765 to plans by Domenico Merlini; the Knights' School established by King Stanislaus Augustus occupied the building then. A successive rebuilding in the neoclassical style was designed by either Hilary Szpilowski or Wacław Ritschel and was completed in 1815–1830. The Library of Warsaw University was then located in the palace. In the 19th century the building underwent several transformations. Finally, during World War II, it was burned down.

SALA ZŁOTA NA PIERWSZYM PIĘTRZE · GOLDEN HALL ON THE FIRST FLOOR · GOLDENER SAAL IM ERSTEN STOCK

The rebuilding started in 1945. It now serves as the seat of the Warsaw University authorities.

Vollkommen fertiggestellt war der Palast einschließlich seiner Umgebung im Jahre 1643. Das geht aus einer Beschreibung im Reiseführer „Gościniec" von Adam Jarzębski hervor. Der im 17. Jh. „Villa Regia" genannte Palast war die Sommerresidenz von König Ladislaus IV. Die Spätrenaissancefassade des Bauwerks lag zur Weichsel hin, und im Erdgeschoß und im ersten Stock hatte es jeweils fünf große Arkaden. Der Schöpfer der Residenz ist bisher unbekannt. Einige vermuten, daß es Giovanni Battista Trevano gewesen ist, andere meinen Matteo Castello und noch wieder andere Costantino Tencalla. 1656 von den Schweden verwüstet, brannte der Palast 1660 ab und wurde von König Johann Kasimir wiederaufgebaut. 1695 brannte er wiederum ab. Im 18. Jh. wurde er vom damaligen Besitzer, dem Grafen Aleksander Sułkowski, wiederaufgebaut und im Geiste des Spätbarocks grundlegend umgebaut. Die Arbeiten dauerten von 1737 bis 1739 und standen unter der Leitung von Carl Friedrich Pöppelmann, der einen Joachim Daniel Jauch und Johann Sigismund Deybel zugeschriebenen Entwurf ausführte. 1765 baute man den Palast nach einem Entwurf von Domenico Merlini erneut um, als dort die von Stanislaus August gegründete Ritterschule untergebracht wurde. Ein weiterer, von Hilary Szpilowski oder Wacław Ritschel konzipierter Umbau des Palastes, diesmal im Geiste des Neoklassizismus, erfolgte in den Jahren 1815–1830. Damals wurde dort die Bibliothek der Warschauer Universität untergebracht. Im Laufe des 19. Jh. nahm man mehrfach Veränderungen am Gebäude vor. Im zweiten Weltkrieg wurde der Palast von deutschen Bomben getroffen und brannte ab. Mit dem Wiederaufbau begann man 1945. Heute ist er Amtssitz des Rektors und der Prorektoren der Warschauer Universität.

Pałac Wesslów
The Wessel Palace
Wessel-Palais

Zwany również pałacem Ostrowskich lub Starą Pocztą. Dokładna data powstania tego pałacu nie jest w obecnym stanie badań znana. Powstał zapewne około połowy XVIII w., pierwszy znany jego widok znajduje się na bordiurze planu Warszawy z 1762 roku. Piotra Ricaud de Tirregaille. Po połowie XVIII w. późnobarokowy pałac stanowił własność generała Franciszka Jana Załuskiego, starosty grójeckiego, który w roku 1761 sprzedał go Teodorowi Wesslowi, podskarbiemu koronnemu. Ten z kolei odstąpił nieruchomość w roku 1764 Antoniemu Ostrowskiemu, biskupowi kujawskiemu, późniejszemu prymasowi. Potem pałac wielokrotnie zmieniał właścicieli. W roku 1780 zakupił go Franciszek Ignacy Przebendowski, wojewoda pomorski i dyrektor poczty. Od tego czasu w pałacu mieściła się poczta przeniesiona tutaj z kamienicy Wasilewskich. W roku 1798 w spisie nieruchomości po zmarłym królu Stanisławie Auguście pałac wykazany został jako prywatna własność królewska i przeszedł następnie w spadku na księcia Józefa Poniatowskiego. Jako następny właściciel figuruje niejaki Schultz, który w roku 1805 sprzedał go „Generalnemu Pocztamtowi" w Berlinie. Poczta znajdowała się w pałacu aż do roku 1874. Kiedy w roku 1882 przystąpiono do poszerzenia ulicy Trębackiej, zburzono narożną trzyokienną kamienicę przylegającą do pałacu. Pałac wystawiono niebawem na sprzedaż z warunkiem, że nowy nabywca pozwoli zająć dwa łokcie z szerokości budynku na poszerzenie ulicy Trębackiej. W następstwie tego przebudowano gruntownie pałac według projektu architektów Aleksandra Woyde i Władysława Marconiego, ścinając jego narożnik i dając mu nową elewację od poszerzonej ulicy. Jednocześnie, aby zwiększyć dochodowość budynku, nadbudowano trzecie piętro. Nowa elewacja oraz nadbudowane piętro zostały

FRONTON WIEŃCZĄCY RYZALIT OD STRONY KRAKOWSKIEGO PRZEDMIEŚCIA
PEDIMENT IN FACADE ON KRAKOWSKIE PRZEDMIEŚCIE STREET
FRONTISPIZ DES RISALITS ZUR KRAKOWSKIE-PRZEDMIEŚCIE-STRASSE HIN

znakomicie dostosowane do już istniejącej architektury. Od roku 1887 w pałacu mieściła się przez pewien czas redakcja „Kuriera Codziennego" i „Tygodnika Ilustrowanego". W okresie międzywojennym miał tu swą siedzibę znany antykwariat Pałac Sztuki. Budynek spalił się w roku 1944 od bomb niemieckich. Po wojnie odbudowano go pod kierunkiem Jana Bieńkowskiego, który przywrócił mu wygląd, jaki otrzymał po przebudowie w roku 1882. Obecnie mieści się tu Prokuratura Generalna.

The late baroque palace was presumably erected sometime in the middle of the 18th century. It changed owners repeatedly; it was, for instance, a residence of Teodor Wessel and of the later Primate Antoni Ostrowski. In the late 18th century, it belonged to King Stanislaus Augustus and housed the post office; the stagecoaches started from here. The palace was completely destroyed in 1944. After the war it was rebuilt to house the office of the General Public Prosecutor.

Das spätbarocke Palais ist sicherlich Mitte des 18. Jh. entstanden. Es wechselte häufig den Besitzer, und zu diesen gehörten u.a. Teodor Wessel und der spätere Primas von Polen Antoni Ostrowski. Ende des 18. Jh. gehörte es König Stanislaus August. Damals war dort die Post untergebracht, und von dort fuhren die Postkutschen ab. Im Jahre 1944 wurde das Palais zerstört. Nach dem Kriege baute man es als Amtssitz der Oberstaatsanwaltschaft wieder auf.

Pałac Potockich
The Potocki Palace
Potocki-Palast

W roku 1643 stał na tym miejscu dwór wojewody sieradzkiego Kaspra Denhoffa, opisany przez Adama Jarzębskiego w *Gościńcu*. Po śmierci Kaspra w roku 1645 jego warszawską siedzibę odziedziczył najstarszy syn Aleksander, sekretarz królewski i opat jędrzejowski. Historycy przypuszczają, że dwór Kaspra Denhoffa uległ zniszczeniu w czasie najazdu szwedzkiego. Nowy dwór, piętrowy, utrzymany w duchu skromnego baroku wzniósł stryjeczny brat Aleksandra, Ernest Denhoff, wojewoda malborski. Hipotetycznym twórcą jego siedziby był Józef Piola. Po śmierci Ernesta w roku 1693 dwór odziedziczyła jego żona Konstancja ze Słuszków.

Historycy przypuszczają, że dwór ten dostał się następnie córce Ernesta z pierwszego małżeństwa Joannie, która poślubiła swego kuzyna Stanisława Denhoffa, wówczas hetmana polnego litewskiego, później zaś wojewodę połockiego. Joanna Denhoffowa zmarła w roku 1716, a Stanisław osiem lat później ożenił się po raz drugi z Marią Zofią Sieniawską, którą odumarł w roku 1728, pozostawiając jej dwór przy Krakowskim Przedmieściu. Po śmierci męża, a w rok później matki, Maria Zofia z Sieniawskich Denhoffowa stała się jedną z najmajętniejszych dam w Europie, odziedziczyła bowiem wielki majątek mężowski i kolosalną fortunę Sieniawskich. O jej rękę starali się zagraniczni książęta panujący i liczni konkurenci spośród najwyższej arystokracji polskiej. Maria Zofia wyszła ostatecznie za mąż w roku 1731 za księcia Augusta Aleksandra Czartoryskiego, wojewodę ruskiego. Do generalnej przebudowy siedziby przy Krakowskim Przedmieściu Czartoryscy zabrali się dopiero około 1760 roku. Rozbudowano wówczas dawny dwór Ernesta Denhoffa i dano mu nową szatę w duchu późnego baroku i rokoka. Widok fasady korpusu głównego pałacu już po przekształceniu go zamieścił w roku 1762 na bordiurze swego znanego planu Warszawy francuski architekt Pierre Ricaud de Tirregaille. Wybudowano niebawem skrzydła boczne, ujmujące dziedziniec honorowy, a w latach 1765–1766 wzniesiono od strony Krakowskiego Przedmieścia istniejącą do dziś rokokową kordegardę. Nie znamy nazwiska projektanta tej przebudowy, tylko w odniesieniu do kordegardy istnieje hipoteza, że jej twórcą był Efraim Schroeger. Przy budowie rezydencji pracowali m.in. rzeźbiarze: Samuele Contessa, Jan Chryzostom Redler i Sebastian Zeisel (m.in. rzeźby na kordegardzie). Pałac Czartoryskich po zakończeniu generalnej przebudowy stał się bzsprzecznie jedną z najwspanialszych siedzib magnackich w Warszawie.

Po śmierci księcia Augusta Aleksandra Czartoryskiego w roku 1782 pałac przeszedł na własność jego córki Izabelli, zamężnej z księciem Stanisławem Lubomirskim marszałkiem wielkim koronnym. Na jej polecenie Szymon Bogumił Zug przekształcił

w duchu klasycyzmu niektóre wnętrza pałacu. W latach 1790–1791 przy dekorowaniu wnętrz pracował znany architekt Jan Chrystian Kamsetzer i malarz Antonio Tombari. Zugowi przypisuje się przebudowę fasady korpusu głównego w duchu umiarkowanego klasycyzmu i dobudowę portyku kolumnowego podtrzymującego taras pierwszego piętra przed ryzalitem środkowym, około 1790 roku. Księżna Izabella Lubomirska w roku 1799 przekazała pałac swej córce Aleksandrze zamężnej z hr. Stanisławem Kostką Potockim, znanym kolekcjonerem i historykiem sztuki. Po jego śmierci w roku 1821 wdowa przez jakiś czas sama administrowała majątkiem, a w roku 1824 oddała zarząd dóbr wraz z pałacem w ręce syna Aleksandra. Po jej śmierci w roku 1831 Aleksander Potocki stał się jedynym właścicielem nieruchomości. Dla siebie zarezerwował apartament na pierwszym piętrze korpusu głównego, resztę pomieszczeń pałacowych wynajmował. W roku 1845 po śmierci Aleksandra pałac przeszedł na własność jego syna, Stanisława Potockiego.

Powoli wspaniała rezydencja stawała się kamienicą dochodową. W skrzydle od ulicy Czystej – dzisiejszej Ossolińskich – urządzono sklepy; w pawilonie skrzydła u zbiegu Czystej i Krakowskiego Przedmieścia mieściła się od roku 1857 znana księgarnia Gebethnera i Wolffa. Dziedziniec pałacowy wydzierżawiono Gracjanowi Ungrowi pod budowę okazałego pawilonu na wystawy artystyczne, który został wzniesiony w roku 1881 według projektu Leandra Marconiego. W roku 1886 pałac odkupił hr. Józef Potocki z Antonin, który przystąpił w roku 1896 do gruntownej restauracji budynku kierowanej przez Władysława Marconiego. Zburzono pawilon Ungra i wyposażono bramy po obu stronach kordegardy w neobarokowe kraty według rysunku Leandra Marconiego.

Po śmierci Józefa Potockiego w roku 1922 pałac odziedziczył jego syn, noszący to samo imię.

WJAZD NA DZIEDZINIEC GŁÓWNY OD STRONY KRAKOWSKIEGO PRZEDMIEŚCIA
ENTRANCE GATE ON KRAKOWSKIE PRZEDMIEŚCIE STREET
EINFAHRT ZUM HAUPTHOF AN DER KRAKOWSKIE-PRZEDMIEŚCIE-STRASSE

PAWILON KORDEGARDY OD STRONY KRAKOWSKIEGO PRZEDMIEŚCIA
GUARDHOUSE PAVILION ON KRAKOWSKIE PRZEDMIEŚCIE STREET
TORWACHE AN DER KRAKOWSKIE-PRZEDMIEŚCIE-STRASSE

Rezydencja nie przetrwała drugiej wojny światowej – 7 sierpnia 1944 roku została przez Niemców oblana benzyną i podpalona. Po wojnie pałac odbudowano na siedzibę Ministerstwa Kultury i Sztuki. Projekt restytucji wykonał w roku 1946 Zygmunt Stępiński pod kierunkiem Jana Zachwatowicza. Skrzydła boczne odbudowano w dwa lata później, a korpus główny pałacu oddano do użytku w roku następnym.

The late baroque palace received its general shape around 1760 on the order of Prince August Aleksander Czartoryski. It incorporated the 17th-century Denhoff manor, which had stood in this place. The author of the rebuilding is not known, but it is alleged that the rococo guardhouse on Krakowskie Przedmieście Street, built in 1765–1766, was designed by Ephraim Schroeger. After the death of August Aleksander Czartoryski, the palace was inherited by his daughter Izabella, the Princess Lubomirska. From the 19th century until 1945, it belonged to the Potocki family. Destroyed in 1944, it was rebuilt after the war. The offices of the Ministry of Culture and Art are currently located there.

Entscheidend gestaltet wurde der spätbarocke Palast um 1760 auf Anweisung des Fürsten August Aleksander Czartoryski. Dabei ging der vorher dort bestehende Hof der Denhoffs in den Komplex ein. Der Projektant des Umbaus ist unbekannt. Lediglich vermuten kann man, daß die 1765–1766 im Rokokostil erbaute Torwache, die den Vorhof des Palastes von der Krakowskie-Przedmieście-Straße trennt, von Ephraim Schröger entworfen worden ist. Nach dem Tode des Fürsten August Aleksander Czartoryski erbte dessen Tochter, die Fürstin Izabella Lubomirska, den Palast. Im 19. Jh. und bis 1945 gehörte er den Potockis. Das 1944 zerstörte Bauwerk wurde nach dem Kriege als Amtssitz des Ministeriums für Kultur und Kunst wiederaufgebaut.

Pałac Czapskich
The Czapski Palace
Czapski-Palast

W pierwszej połowie XVII w. stał na tym miejscu drewniany dwór Aleksandra Ludwika Radziwiłła, marszałka wielkiego litewskiego, który tak opisał Adam Jarzębski w *Gościńcu* wydanym w roku 1643:

Za nim powyż Radziwiłła
Dwór książęcia wystawiła
Ręka ciesielska na stronie;
I ten stoi w swej obronie.
Wyszedł z nim opodal w pole,
Aż po same dworskie role.
Parkan wkoło, placu wiele,
Dworów takich w grunt nie wiele.

Dwór ten po śmierci Aleksandra Ludwika Radziwiłła w roku 1654 odziedziczył jego syn Michał Kazimierz, podkanclerz i hetman polny litewski, który w roku 1680 podjął budowę murowanego pałacu. Niebawem, kiedy wzniesiono zaledwie fundamenty, Michał Kazimierz Radziwiłł zmarł. W roku 1681 posesję nabył Michał Radziejowski, arcybiskup gnieźnieński. Radziejowski ukończył budowę pałacu przed 1705 rokiem; projektantem tej siedziby był prawdopodobnie znany architekt holenderskiego pochodzenia Tylman z Gameren, ten sam, który zaprojektował dla Radziejowskiego rezydencję w Nieborowie.

Spadkobierca kardynała, Michał Prażmowski, sprzedał pałac w roku 1712 Adamowi Sieniawskiemu, hetmanowi wielkiemu koronnemu, który w latach 1717–1721 przekształcił siedzibę. Przy jej przebudowie pracowali m.in. Augustyn Locci, Karol Bay i Kacper Bażanka jeden z najwybitniejszych architektów polskich XVIII w. Bażance przypisuje się autorstwo projektu przebudowy pałacu. W jej wyniku pałac uzyskał taki rzut poziomy, jaki ma obecnie, tj. z ryzalitami pośrodku elewacji frontowej i ogrodowej i z narożnymi pawilonami.

Po śmierci Adama Sieniawskiego w roku 1726 pałac przeszedł na własność jego córki Marii Zofii, której pierwszym mężem był Stanisław Ernest Denhoff, wojewoda połocki, drugim zaś książę August Aleksander Czartoryski, późniejszy wojewoda ruski. W roku 1732 Czartoryscy sprzedali pałac

WIDOK OGÓLNY OD STRONY KRAKOWSKIEGO PRZEDMIEŚCIA
GENERAL VIEW FROM KRAKOWSKIE PRZEDMIEŚCIE STREET
GESAMTANSICHT VON DER KRAKOWSKIE-PRZEDMIEŚCIE-STRASSE HER

bankierowi Piotrowi de Riacour. Według oficjalnego kontraktu nieruchomość sprzedano za 170 000 złotych polskich. W rzeczywistości jednak pałac przeszedł w posiadanie Riacoura za 10 000 złotych polskich, bowiem długi, które zaciągnęli u niego Sieniawscy i ich córka Maria Zofia, pochłonęły resztę. Maria Zofia słynęła z rozrzutności i uwielbiała stroje, nic zatem dziwnego, że utarła się opinia iż oddała Riacourowi pałac za koronki.
W roku 1736 bankier odstąpił rezydencję Janowi Ansgaremu Czapskiemu, wojewodzie chełmińskiemu, później podskarbiemu wielkiemu koronnemu. Po śmierci Czapskiego, w roku 1742 rezydencja przeszła na własność jego córki Marii, żony Tomasza Czapskiego, starosty knyszyńskiego. W latach 1743–1744 pracowali przy dekoracji pałacu rzeźbiarze włoscy Antonio Capar i Samuele Contessa. Nowa faza robót przy pałacu przypadła na lata 1752–1765. Otrzymał on wówczas późnobarokowy wystrój, który zachował do dziś.
Po śmierci Tomasza Czapskiego w roku 1784 pałac stał się własnością jego córki Konstancji, żony księcia Dominika Radziwiłła, a później Stanisława Małachowskiego, marszałka Sejmu Wielkiego. Około roku 1790, od strony Krakowskiego Przedmieścia wzniesiono dwie klasycystyczne trzypiętrowe oficyny według projektu Jana Chrystiana Kamsetzera. Mieściły one apartamenty do wynajęcia i miały charakter kamienic czynszowych. Kamsetzer zaprojektował je tak, by nie umniejszały walorów artystycznych późnobarokowego pałacu stojącego w głębi posesji. Być może ten sam architekt przekształcił równocześnie niektóre wnętrza pałacu.
Po śmierci marszałka Stanisława Małachowskiego w roku 1808 pałac przeszedł na własność jego pasierbicy, księżniczki Marii Urszuli Radziwiłłówny, żony generała Wincentego Krasińskiego. Synem ich był poeta Zygmunt. W okresie Królestwa Polskiego pałac był jednym z ośrodków życia towarzyskiego i umysłowego stolicy. Generał Win-

KORPUS GŁÓWNY OD STRONY DZIEDZIŃCA
MAIN BLOCK SEEN FROM THE COURTYARD
HAUPTGEBÄUDE AM INNENHOF

centy Krasiński chętnie zapraszał do siebie pisarzy i artystów. W roku 1826 mieszkanie w lewej oficynie od strony Krakowskiego Przedmieścia wynajęła rodzina Chopinów (salonik tego mieszkania urządzony meblami z epoki udostępniony jest obecnie zwiedzającym). W latach 1851–1852 Henryk Marconi powiększył pawilony frontowe pałacu, nadając dobudowanym partiom charakter późnobarokowy, znakomicie nawiązujący do architektury już istniejącej. W południowej części pałacu pomieszczono zbiory biblioteczne Ordynacji Krasińskich. W roku 1859 po śmierci poety Zygmunta Krasińskiego pałac przeszedł na własność jego syna Władysława, a następnie wnuka Adama.
Pomiędzy rokiem 1865 a 1867 została przebita ulica Berga (dzisiejsza Traugutta); przy nowej ulicy znalazła się boczna elewacja pałacu i oficyn. W roku 1867 nadbudowano od tej strony korpus główny pałacu zrównując go z narożnymi pawilonami. W elewacji od nowo wytyczonej ulicy znajdowało się wejście do Biblioteki Ordynacji Krasińskich. Około roku 1890 odnowiono i zarazem przebudowano oficyny pałacowe według projektu Juliana Ankiewicza; jednocześnie w pałacu zmieniono dekoracje niektórych pomieszczeń według projektu Jana Heuricha starszego i Stefana Szyllera.
Od roku 1909 do 1945 właścicielem pałacu był hr. Edward Raczyński, który otrzymał tę nieruchomość na mocy działów rodzinnych. W dwudziestoleciu międzywojennym Raczyński, kiedy był ambasadorem Rzeczypospolitej Polskiej w Wielkiej Brytanii, wynajmował pałac, m.in. na mieszkanie reprezentacyjne ministra spraw zagranicznych Józefa Becka.
We wrześniu 1939 roku pałac spalił się od bomb niemieckich, oficyny spotkał taki sam los w roku 1944 w czasie powstania warszawskiego. W roku 1946 ruiny pałacu przyznano Akademii Sztuk Pięknych, odbudowę ich rozpoczęto w roku 1948 według projektu Stanisława Brukalskiego, który starał się przywrócić korpusowi głównemu wygląd zewnętrzny z połowy XVIII w. Roboty budowlane przy całym zespole trwały do roku 1959. Wnętrzom nie przywrócono pierwotnego charakteru. W pałacu mieści się obecnie Rektorat Akademii, biblioteka i muzeum, natomiast w gruntownie przebudowanych oficynach pracownie różnych dyscyplin artystycznych. Przed korpusem głównym, tuż przy ulicy Traugutta ustawiono kopię słynnego pomnika weneckiego – konny posąg Colleoniego, dar Szczecina dla Warszawy.

ELEWACJA FRONTOWA KORPUSU GŁÓWNEGO · MAIN BLOCK FACADE · VORDERANSICHT DES HAUPTGEBÄUDES

FRAGMENT PORTALU OD STRONY TRAUGUTTA
DETAIL OF THE PORTAL ON TRAUGUTTA STREET
TEILANSICHT DES PORTALS ZUR TRAUGUTTA-STRASSE

Prince Michał Kazimierz Radziwiłł initiated the construction of this baroque palace in 1680, presumably to designs by Tylman van Gameren. The new owner, Primate Michał Radziejowski, completed it by 1705. The palace was rebuilt in the late baroque style in 1717–1721 on the initiative of its then owner Adam Sieniawski. Augustyn Locci, Karol Bay and Kacper Bażanka, one of the most important Polish architects of the 18th century, were among those employed on the project. The Czapski family acquired the palace in 1736. In 1743–1744, the Italian sculptors Antonio Capar and Samuele Contessa worked on the decoration of the palace. A new stage in the construction work came in 1752–1765. The residence was then given its present late baroque appearance. Around 1790, two neoclassical three-storeyed blocks were built to Jan Chrystian Kamsetzer's designs on the side facing Krakowskie Przedmieście (Frederic Chopin's parents later lived in the left one). These structures served as tenement houses with flats for rent. In the 19th century the palace belonged to the Krasiński family; the great Polish poet Zygmunt Krasiński lived here, for instance. German bombs set the palace on fire in September 1939. Rebuilt in 1949–1959, it now houses the offices of the Rector of the Academy of Fine Arts.

Den Bau des Barockpalastes nahm 1680 Fürst Michał Kazimierz Radziwiłł in Angriff, und fertiggestellt wurde er vor 1705 von Primas Michał Radziejowski, dem nächsten Besitzer des Objekts. Der Projektant der Residenz war höchstwahrscheinlich Tylman van Gameren. Ein Umbau des Palastes im Geiste des Spätbarocks erfolgte in den Jahren 1717–1721 auf Initiative von Adam Sieniawski, dem damaligen Eigentümer. Dabei wirkten u.a. Agostino Locci, Karol Bay und Kacper Bażanka, einer der bedeutendsten polnischen Architekten des 18. Jh., mit. 1736 ging der Palast in den Besitz des Hauses Czapski über. In den Jahren 1743–1744 arbeiteten die italienischen Bildhauer Antonio Capar und Samuele Contessa an der Ausschmückung der Residenz. Eine neue Phase der Arbeiten entfiel in die Jahre 1752–1765. Damals bekam der Palast seine bis heute erhaltene spätbarocke Ausstattung. Um 1790 wurden zur Krakowskie-Przedmieście-Straße hin zwei dreistöckige neoklassizistische Nebenhäuser errichtet (im linken wohnten später die Eltern Fryderyk Chopins). Der Entwurf für dieses Vorhaben stammte von Johann Christian Kamsetzer. Die Nebenhäuser dienten gewerblichen Zwecken und hatten Appartements, die vermietet wurden. Im 19. Jh. gehörte der Palast dem Geschlecht der Krasińskis. Dort hat u.a. der berühmte polnische Dichter Zygmunt Krasiński gewohnt. Durch Einwirkung deutscher Bomben brannte der Palast im September 1939 ab. Wiederaufgebaut wurde er in den Jahren 1948–1959. Im Hauptgebäude befindet sich gegenwärtig das Rektorat der Akademie der Schönen Künste.

Pałac Staszica
The Staszic Palace
Staszic-Palast

Nie był to pałac o charakterze rezydencjonalnym, bowiem od początku przeznaczony był na siedzibę Towarzystwa Królewskiego Warszawskiego Przyjaciół Nauk, nazywano go jednak od chwili powstania Pałacem Staszica od nazwiska inicjatora i współfundatora budowy. Gmach wzniesiono w latach 1820–1823 na miejscu rozebranego późnobarokowego kościoła Dominikanów Obserwantów. Projekty wykonał Antonio Corazzi, który nadał budowli charakter dojrzałego klasycyzmu. Fasada pałacu zwieńczonego niewielką kopułką stanowiła odtąd piękne zamknięcie perspektywy Krakowskiego Przedmieścia. Najważniejszym pomieszczeniem gmachu była wielka sala zebrań Towarzystwa, którą tak charakteryzuje Łukasz Gołębiowski w swym *Opisaniu historyczno-statystycznym miasta Warszawy* (1827): „Salę na publiczne posiedzenia zdobi wizerunek naturalnej wielkości Najjaśniejszego Cesarza i Króla Aleksandra I, zrobiony przez Blanka profesora, z przeciwnej strony jest Bacciarellego roboty portret Króla Saskiego, płaskorzeźby na ścianach dziełem są Malińskiego, sztukateria i inne ozdoby Vincentiego, ściany ustrojone popiersiami: Albertrandiego, Potockiego, Naruszewicza, Krasickiego, Jana Kochanowskiego i Sarbiewskiego. Naprzeciwko miejsca dla członków jest amfiteatr obszerny, kilkaset osób pomieścić mogący i loże kolumnami korynckiego porządku ozdobione". Sala ta nie zachował się, zniszczona przez późniejsze przebudowy gmachu.

W roku 1830 ustawiono przed Pałacem Staszica pomnik Mikołaja Kopernika, dzieło duńskiego rzeźbiarza Bertela Thorvaldsena. Towarzystwo Królewskie Warszawskie Przyjaciół Nauk użytkowało gmach do roku 1832, kiedy to zostało rozwiązane na rozkaz cara Mikołaja I. Pałac przeznaczono następnie na siedzibę Dyrekcji Loterii, a w roku 1862 ulokowano w nim gimnazjum męskie. W roku 1890 władze rosyjskie podjęły decyzję przekształcenia pałacu w stylu bizantyjsko-ruskim i przeznaczenia go na siedzibę I gimnazjum męskiego oraz cerkwi św. Tatiany Rzymianki. Przebudowa ta miała z jednej strony uczcić carów Szujskich pochowanych niegdyś w tzw. kaplicy moskiewskiej stojącej na miejscu Pałacu Staszica, z drugiej zaś stanowiła ważny element rządowego programu rusyfikacji oblicza Warszawy.

W roku 1893 rosyjski architekt Władimir Pokrowski opracował projekt przebudowy pałacu, zatwierdzony do realizacji przez cara Aleksandra III. Ukończony w 1895 roku (bez wyposażenia wnętrza cerkwi) gmach otrzymał elewacje przeładowane detalem, wyłożone kolorową cegiełką i nawiązujące do form architektury cerkiewnej.

Po odzyskaniu przez Polskę niepodległości przywrócono pałacowi w latach 1924–1926 charakter klasycystyczny. Prace prowadzo-

SOCIETAS
SCIENTIARVM VARSAVIENSIS

Pałac Staszica
The Staszic Palace
Staszic-Palast

◄ FRAGMENT WIELKIEJ SALI POSIEDZEŃ
PART OF THE GRAND CONFERENCE HALL
TEILANSICHT DES GROSSEN SITZUNGSSAALS

POSĄG KOPERNIKA – DZIEŁO B. THORVALDSENA
MONUMENT OF COPERNICUS BY B. THORVALDSEN
COPERNICUS-DENKMAL VON B. THORWALDSEN

ne były pod kierunkiem Mariana Lalewicza, który nie odtworzył jednak ściśle architektury corazziańskiej (zaniechał m.in. rekonstrukcji ryzalitów skrajnych fasady, zmienił również kształt kopuły).
W okresie dwudziestolecia międzywojennego pałac był siedzibą Towarzystwa Naukowego Warszawskiego. W czasie powstania warszawskiego w 1944 r. uległ poważnemu uszkodzeniu.
Wygląd z lat dwudziestych XIX w. pałac odzyskał dopiero w wyniku odbudowy prowadzonej w latach 1946–1950 pod kierunkiem Piotra Biegańskiego, który zaprojektował również nowe skrzydła otaczające wewnętrzny dziedziniec. Po odbudowie gmach był siedzibą Towarzystwa Naukowego Warszawskiego, później użytkowany był przez Polską Akademię Nauk, niedawno odzyskało go częściowo Towarzystwo Naukowe Warszawskie będące prawowitym właścicielem budynku.

Never a residence, the palace was originally intended as the seat of the Royal Warsaw Society of Friends of Science. It was called the Staszic Palace after its initiator and cofounder Stanisław Staszic. The building was erected in the years 1820–1823 to designs by Antonio Corazzi, who gave it a neoclassical appearance. In 1893–1895, the Russian authorities renovated it in a Russo-Byzantine style as part of the russification program being implemented in the city. Upon the restoration of Polish independence, the building was returned to its original appearance in 1924–1926. In 1944, the palace suffered heavy damage and was rebuilt in 1946–1950. It is currently the seat of the Polish Academy of Sciences and the Warsaw Scientific Society.

Es ist kein Palast, der den Charakter einer Adelsresidenz trägt, denn er war von Anfang an als Sitz der Warschauer königlichen Gesellschaft der Freunde der Wissenschaft vorgesehen. Vom Augenblick seines Entstehens an nennt man ihn Staszic-Palast – nach dem Urheber und Mitstifter des Bauwerks Stanisław Staszic. Das Gebäude wurde in den Jahren 1820–1823 nach einem Entwurf von Antonio Corazzi errichtet, der ihm neoklassizistischen Charakter verlieh. 1893–1895 ließen die russischen Behörden den Palast im Rahmen eines breit angelegten Programms der Russifizierung Warschaus in byzantinisch-ruthenischem Stil umbauen. Nachdem Polen seine staatliche Unabhängigkeit zurückerlangt hatte, wurde dem Bauwerk in den Jahren 1924–1926 sein ursprüngliches neoklassizistisches Aussehen zurückgegeben. 1944 wurde der Palast schwer beschädigt und 1946–1950 wiederaufgebaut. Heute haben dort die Polnische Akademie der Wissenschaften und die Warschauer wissenschaftliche Gesellschaft ihre Heimstatt.

Pałac Gnińskich (Zamek Ostrogskich)
The Gniński Palace (Ostrogski Castle)
Gniński-Palast oder Ostrogski-Schloß

Nazwa Zamek Ostrogskich, którą niesłusznie nosi istniejący dziś pałac, wiąże się z osobą księcia Janusza Ostrogskiego kasztelana krakowskiego, posiadacza tych gruntów od schyłku XVI w. Książę podobno miał rozpocząć na tym miejscu budowę zamku. Po jego śmierci w roku 1620 grunty przeszły na własność książąt Zasławskich, a potem rodziny Denhoffów. Najprawdopodobniej w roku 1681 kupił je podkanclerzy koronny Jan Gniński z zamiarem wzniesienia tu własnej siedziby. Z zamówieniem na projekt pałacu zwrócił się do Tylmana z Gameren, który zaproponował mu budowę okazałej rezydencji złożonej z pałacu właściwego, mającego stanąć na tarasie wysuniętym ku Wiśle, oraz dwóch wolno stojących pawilonów gospodarczych. Projekt ten pozostał na papierze z powodu ogromnych kosztów, jakie pochłonęły roboty ziemne związane z formowaniem tarasu i budową murów oporowych. Tylman zapewne jeszcze za życia podkanclerzego (zmarłego w roku 1684) znacznie zredukował projekt rezydencji. Zrezygnowano z korpusu głównego, a siedziba miała się składać z dwóch wolno stojących pawilonów, które zamierzano postawić na miejscu pawilonów gospodarczych, które architekt proponował w pierwszej wersji projektu. Ostatecznie zrealizowano tylko pawilon północny wzniesiony na wysokim tarasie nad wąwozem ulicy Tamka. Budynek ten, o formach silnie klasycyzującego baroku, górował nad niską zabudową Powiśla i od razu stał się ważnym akcentem panoramy Warszawy oglądanej od strony Wisły.

Po śmierci podkanclerzego Jana Gnińskiego pałac dziedziczyli kolejno jego dwaj synowie. Na początku XVIII w. pałac użytkował ordynat Tomasz Józef Zamoyski, ale pełnoprawnym jego właścicielem stał się dopiero w roku 1721. Po nim odziedziczył pałac jego brat, ordynat Michał Zdzisław, którego synowie Jan Jakub i Andrzej odstąpili rezydencję w roku 1740 biskupowi przemyskiemu Walentemu Czap-

skiemu. W okresie władania pałacem przez ordynatów Zamoyskich i jeszcze długo potem nazywano go Ordynackim.
W roku 1771 właścicielem pałacu był Jan Mikołaj Chodkiewicz, który nosił się z zamiarem jego rozbudowy. U schyłku XVIII w. filozof i moralista Marcin Nikuta prowadził tu pensjonat dla młodzieży szlacheckiej. Na początku XIX w. pałac popadł w ruinę, a obszerne jego podziemia, ciągnące się rzekomo w kierunku ulicy Książęcej, stały się siedzibą włóczęgów i szumowin wychodzących nocami na rabunek.
W roku 1820 posiadłość nabył na licytacji sekretarz policji Michał Gajewski, który wyrestaurował pałac i podwyższył go o piętro. Wybudował także oficyny z przeznaczeniem na koszary. W części zabudowań przypałacowych mieściło się targowisko i jatki rzeźnicze. W czasie powstania listopadowego znajdował się w pałacu szpital wojskowy, a potem kolejno: fabryka wyrobów gumowych, rządowy „Dom Zdrowia", szpital dla cholerycznych, instytut moralnie zaniedbanych dzieci, schronisko dla powodzian, aż w roku 1854 gmach nabyło miasto z przeznaczeniem na koszary.
W roku 1858 pałac stał się siedzibą Warszawskiego Instytutu Muzycznego. Instytut ten kontynuował tradycje założonego w 1821 roku Konserwatorium Muzycznego. Uroczyste otwarcie nowej uczelni odbyło się 26 stycznia 1861 roku. W Warszawskim Instytucie Muzycznym, zwanym powszechnie „konserwatorium" wykładali m.in. Apolinary Kątski, Aleksander Michałowski, Stanisław Moniuszko, Tomasz Nidecki, Zygmunt Noskowski, Aleksander Zarzycki, a w latach późniejszych niektórzy z pierwszych wychowanków Instytutu, jak Stanisław Barcewicz czy Ignacy Paderewski. W roku 1914 wzniesiono obok pałacu od strony ulicy Okólnik nowy budynek z salą koncertową według projektu Stefana Szyllera. Sam pałac, wielokrotnie przekształcany, zatracił zupełnie cechy artystyczne. W okresie dwudziestolecia międzywojennego mieściło się tu konserwatorium i szkoła teatralna.
We wrześniu 1944 roku pałac spalili Niemcy. Po wojnie ruiny te przyznano Instytutowi im. Fryderyka Chopina (późniejszemu Towarzystwu im. Fryderyka Chopina).

◀ ELEWACJA OD WSCHODU
EAST FRONT
OSTFASSADE

FRONTON NAD RYZALITEM W ELEWACJI WSCHODNIEJ
EAST FRONT PEDIMENT
FRONTISPIZ ÜBER DEM RISALIT DER OSTFASSADE

ELEWACJA OD ZACHODU
WEST FRONT
WESTFASSADE

Pałac Gnińskich (Zamek Ostrogskich)
The Gniński Palace (Ostrogski Castle)
Gniński-Palast oder Ostrogski-Schloß

◀ FRAGMENT KLATKI SCHODOWEJ
PART OF THE STAIRCASE
TEILANSICHT DES TREPPENHAUSES

SALA MUZEALNA W PAŁACU
PALACE MUSEUM ROOMS
MUSEUMSSAAL IM PALAST

Gmachu, który był zaprojektowany przez Stefana Szyllera postanowiono nie odbudowywać. Odtwarzanie pałacu rozpoczęto w 1949 roku; z końcem 1953 roku do budynku wprowadził się zarząd i biura Towarzystwa. Oficjalne przekazanie siedziby nowemu użytkownikowi odbyło się w lutym 1955 roku, w dniach V Międzynarodowego Konkursu Pianistycznego im. Fryderyka Chopina. Projektant odbudowy, Mieczysław Kuzma, przywrócił pałacowi wygląd zewnętrzny z końca XVII w., opierając się na rysunkach Tylmana z Gameren, które są przechowywane w Gabinecie Rycin Biblioteki Uniwersytetu Warszawskiego. Wnętrza prezentują natomiast kompozycję zupełnie nową, opartą na motywach późnego baroku, rokoka i klasycyzmu. Pałac mieści obecnie, obok biur zarządu Towarzystwa im. Fryderyka Chopina, centralne archiwum chopinowskie, muzeum pamiątek po wielkim kompozytorze, salę koncertową i bibliotekę.
Z budynkiem tym związana jest jedna z najstarszych i najpiękniejszych legend warszawskich opowiadająca o zaklętej w złotą kaczkę księżniczce, która pokutuje w rozległych podziemiach pałacu.

This still existing baroque palace was started by Jan Gniński in the late 17th century. The architect proposed building a grand residence made up of the palace proper and two freestanding domestic pavilions. Only the northern pavilion was erected in the end, on top of a high terrace above the narrow valley of Tamka Street. The palace later belonged to the Zamoyski and Chodkiewicz families. In 1861, it became the seat of the Musical Institute or conservatory. In the 19th century it underwent several transformations, losing with time all of its artistic merits. In September 1944, it was torched by the Germans. The rebuilding started in 1949. The palace was turned over to the Frederic Chopin Society. One of the most beautiful Warsaw legends is connected with this building: a golden duck, supposedly an enchanted princess, was said to haunt the dungeons of the castle.

Mit dem Bau des bis heute existierenden Barockpalastes begann Ende des 17. Jh. Jan Gniński. Sein Architekt schlug vor, eine prächtige Residenz zu errichten, die aus dem eigentlichen Palast und zwei freistehenden Wirtschaftsgebäuden bestehen sollte. Am Ende wurde aber nur der selbständige Nordflügel gebaut, errichtet auf einer hohen Terrasse über der Schlucht der Tamka-Straße. Später gehörte der Palast den Zamoyskis und den Chodkiewicz'. Ab 1861 befand sich dort ein als Konservatorium bezeichnetes Musikinstitut. Im 19. Jh. wurde das Gebäude immer wieder umgestaltet und verlor mit der Zeit fast gänzlich seine künstlerischen Merkmale. Im September 1944 brannten es die Deutschen nieder. 1949 begann man mit dem Wiederaufbau als Sitz der Fryderyk-Chopin-Gesellschaft. Mit dem Palast ist eine der schönsten Warschauer Sagen verbunden. Diese berichtet von einer in eine goldene Ente verzauberten Prinzessin, die in den ausgedehnten unterirdischen Gewölben des Palastes büßen muß.

Pałac Zamoyskich
The Zamoyski Palace
Zamoyski-Palais

Rezydencję w stylu późnego renesansu francuskiego, zaprojektowaną przez modnego architekta warszawskiego Leandra Marconiego, wybudował hr. Konstanty Zamoyski w 1878 roku. Ściany tej siedziby oblicowane są czerwoną cegłą, kontrastującą z bielą narożników i otworów drzwiowych i okiennych. Pałac składa się z korpusu głównego i dwóch wolno stojących prostopadłych skrzydeł ujmujących po bokach dziedziniec zamykający ulicę Foksal. Wzniesiono go w głębi dawnego ogrodu sięgającego ulicy Nowy Świat, założonego w połowie XVIII w. i nazwanego później z angielska „Vauxhall"
Właścicielem terenu stał się hr. Konstanty Zamoyski w 1870 roku (wniosła mu go w posagu żona, Aniela z Potockich) i w siedem lat później postanowił rozparcelować ogród, zachowując dla siebie najpiękniejszą jego część położoną na skraju dawnej skarpy wiślanej. Boczne części ogrodu podzielono na parcele i rozprzedano z warunkiem wybudowania na nich pałacyków, środkową część przeznaczono na ulicę, doprowadzoną ostatecznie do ulicy Nowy Świat w roku 1880 i nazwaną Foksal.
Po śmierci hr. Konstantego Zamoyskiego w roku 1923 pałac wraz z ordynacją kozłowiecką przeszedł na jego stryjecznego brata Adama. Pomimo ciężkich walk, jakie toczyły się tu w czasie powstania warszawskiego, pałac wyszedł z ostatniej wojny obronną ręką. Mieści się w nim obecnie m.in. Zarząd Główny Stowarzyszenia Architektów Polskich (SARP). Z inicjatywy SARP-u w latach 1964–1968 wzniesiono pawilon wystawowy przylegający od północy do korpusu głównego, który nie psuje układu zabytkowego rezydencji. W lewym skrzydle na parterze mieści się od 1965 roku znana „Galeria Foksal" lansująca sztukę najnowszą.

This small palace designed in the spirit of the French Late Renaissance was erected in 1878 for Count Konstanty Zamoyski; the designs were prepared by Leandro Marconi. The residence was built on the spot of an old garden from the mid 18th century, later called the "Vauxhall". Fortunately, the palace survived the Second World War and now serves as the seat of the Board of the Association of Polish Architects.

Das im Geiste der französischen Spätrenaissance gestaltete Palais ist 1878 nach einem Entwurf Leandro Marconis für den Grafen Konstanty Zamoyski erbaut worden. Die Residenz entstand auf dem Gelände eines Mitte des 18. Jh. angelegten und später „Vauxhall" genannten ehemaligen Parks. Das kleine Palais hat den zweiten Weltkrieg glücklich überstanden und dient heute als Sitz des Hauptvorstandes des polnischen Architektenverbandes.

ELEWACJA OGRODOWA
GARDEN FRONT
FASSADE ZUM GARTEN HIN

BRAMA WJAZDOWA NA DZIEDZINIEC ►
COURTYARD GATE
EINFAHRTSTOR AUF DEN HOF

Pałac Rembielińskich
The Rembieliński Palace
Rembieliński-Palais

Budowę pałacu rozpoczął ziemianin Aleksander Rembieliński z Krośniewic w roku 1859 na gruncie nabytym od bankiera Stanisława Lessera. Projektantem rezydencji był Franciszek Maria Lanci, który nadał jej formy renesansowe. W roku 1865 Rembieliński sprzedał nie wykończony jeszcze pałac Janowi Kurtzowi i Stanisławowi Ratyńskiemu, w rok później jedynym właścicielem stał się Kurtz. W tym czasie pałac został całkowicie ukończony. Budowla została wzniesiona na planie litery H, z sześciokolumnowym portykiem dźwigającym taras w elewacji zachodniej i półkolistym ryzalitem w elewacji wschodniej. Lanci skomponował ten pałac w duchu dojrzałego renesansu włoskiego. Oryginalną cechą tej architektury jest kontrast pomiędzy wielkimi otworami i stosunkowo nikłymi elementami dzielącymi elewacje. Był to tak duży obiekt, że właściciel odnajmował dwa duże apartamenty, sam pozostając w trzecim. Później pałac zmieniał jeszcze dwukrotnie właścicieli, a w 1900 roku nabyła go Spółka Akcyjna Wyrobów Bawełnianych Izraela Kalmanowicza Poznańskiego z Łodzi. Po roku 1918 mieściły się tu biura poselstwa duńskiego, a w 1935 roku nabył pałac hurtownik węgla Abraham Sojka wraz z żoną Rachelą. W gmachu znalazło wówczas pomieszczenie Garnizonowe Kasyno Podoficerskie. We wrześniu 1939 roku pałac spalił się od bomb niemieckich.
Po zniszczeniach wojennych odbudowano go w roku 1949 według projektu Eugeniusza Wierzbickiego, Jerzego Mokrzyńskiego i Wacława Kłyszewskiego. Usunięto wówczas ruiny kamienic, sąsiadujących z pałacem, dzięki czemu stał się on budowlą wolno stojącą, uzyskując nową elewację od strony ulicy Matejki. Po odbudowie pałac był początkowo siedzibą Wydziału Historii Partii, później szkoły muzycznej, a obecnie Kombatantów Rzeczpospolitej Polskiej i Byłych Więźniów Politycznych.

Aleksander Rembieliński started the construction of this neo-Renaissance palace to designs by Franciszek Maria Lanci in 1859. In 1865, he was forced to sell the unfinished building. A procession of owners followed until, finally, the palace burned down during the Second World War. It was rebuilt in 1949 and served as the home of a musical school and several other organizations.

Mit dem Bau des Neorenaissancepalais begann 1859 Aleksander Rembieliński nach einem Entwurf von Francesco Maria Lanci. Bis 1865 gelang es Rembieliński nicht, das Palais fertigzustellen, und er mußte es verkaufen. Das Gebäude wechselte mehrfach den Besitzer. Im zweiten Weltkrieg abgebrannt, wurde es 1949 wiederaufgebaut. Nach dem Wiederaufbau beherbergte es eine Musikschule und die verschiedenartigsten Organisationen.

Pałac Sobańskich
The Sobański Palace
Sobański-Palais

Pałac powstał w latach 1852–1854, zaprojektowany w stylu „toskańskiego" renesansu przez Juliana Ankiewicza dla Anieli z Ostrowskich Bławackiej, żony wysokiego urzędnika rosyjskiego w Warszawie. Siedziba założona na planie prostokąta i flankowana dwoma wolno stojącymi pawilonami odsunięta była od linii zabudowy Alej Ujazdowskich, a rozciągający się za nią ogród sięgał ulicy Koszykowej. W roku 1861 właścicielem nieruchomości stał się Aleksander Bobrownicki, a w 1865 hr. Ludwik Krasiński, który w tym samym roku sprzedał ją hr. Emilii z Łubieńskich Sobańskiej, żonie Feliksa, wielkiego posiadacza ziemskiego z Ukrainy i filantropa. W roku 1876 Sobańscy przekształcili pałac według projektu znanego architekta Leandra Marconiego. Do boków piętrowego korpusu dobudowane zostały niższe, parterowe części boczne: południowa mieściła oranżerię, natomiast północna – podjazd. Układ wnętrz pozostał bez zmian, być może otrzymały one wówczas nowy wystrój. Dziełem Leandra Marconiego jest również attyka wieńcząca elewację frontową. Pałac Sobańskich słusznie uchodzi za jedną z najpiękniejszych rezydencji Alej Ujazdowskich.
W dwudziestoleciu międzywojennym ogród pałacu został rozparcelowany, na jego miejsce wytyczono aleję Przyjaciół, którą tuż przed wojną zabudowano luksusowymi kamienicami.
Rezydencja Sobańskich, poważnie uszkodzona w czasie powstania warszawskiego, została po wojnie poddana pracom renowacyjnym. Przed pałacem stoi brązowy posąg Dawida, kopia słynnej rzeźby Donatella. Od roku 1947 mieściło się tu Konserwatorium, później rozmaite organizacje.

This neo-Renaissance palace was built in 1852–1854 to designs by Julian Ankiewicz. It was acquired by the Sobański family in 1865 and renovated in 1876 to designs by Leandro Marconi. In 1944, the building suffered some damage, but was later painstakingly restored.

Das kleine Neorenaissancepalais entstand 1852–1854 nach einem Entwurf von Julian Ankiewicz. Seit 1865 gehörte es dem Grafengeschlecht Sobański, das es 1876 nach einem Entwurf von Leandro Marconi umbaute. Im Jahre 1994 wurde das Palais beschädigt und später pietätvoll wiederaufgebaut.

Pałac Śleszyńskich
The Śleszyński Palace
Śleszyński-Palais

Stanisław Śleszyński, kapitan batalionu saperów, wraz z żoną Gertrudą Emilią z Jakubowskich oraz niejakim Józefem Foxem przystąpili w połowie roku 1826 do budowy klasycystycznego pałacu według projektu znanego architekta Antonia Corazziego. Była to niewielka piętrowa budowla z wgłębnym portykiem zwieńczonym trójkątnym frontonem. Przy pałacu od strony dzisiejszej ulicy Pięknej wzniesiono również piętrową oficynę. Śleszyńscy założyli w tym samym czasie ogród rozrywkowy zwany Doliną Szwajcarską położony opodal pałacu na malowniczym gruncie pełnym wzgórz i parowów. W pierwszych dniach powstania listopadowego w pałacu miał kwaterę sztab artylerii i tutaj podobno szef sztabu generał Ignacy Prądzyński opracowywał swe plany wojenne.
Po upadku powstania listopadowego pałac był przez właścicieli wynajmowany; w roku 1843 zamieszkał tu konsul angielski Gustaw Karol du Plat.
W rękach Śleszyńskich nieruchomość pozostawała do roku 1852, potem często zmieniała właścicieli. W latach 1863–1912 stanowiła własność znanej bankierskiej rodziny Lesserów, od której odkupił ją Ryszard Edward Kimens i w następnym roku odstąpił ordynatowi teplicko-sitkowieckiemu hr. Franciszkowi Salezemu Potockiemu z Peczary. W roku 1928 nieruchomość przeszła w dwóch trzecich na własność Zakładów Przemysłowych „Strzemieszyce", a w jednej trzeciej (właśnie pałac) na własność Janusza Kirchmajera. Pałac oraz oficyna przez cały okres dwudziestolecia międzywojennego znajdowały się w bardzo złym stanie. Krążyły pogłoski, że jest budowlą „nawiedzoną", w której nikt nie może mieszkać z powodu niewytłumaczalnych zjawisk mających miejsce w godzinach nocnych. Druga wojna światowa przyniosła zagładę pałacowi i oficynie. Po wojnie restytuowano tylko pałac (w latach 1947–1948) pod kierunkiem Heleny i Szymona Syrkusów, przeznaczając go na siedzibę ambasadorów Jugosławii.

This small neoclassical palace with deep portico was built to Antonio Corazzi's designs in 1826. Destroyed in the Second World War, it was painstakingly rebuilt in 1947–1948 as the official residence of the ambassadors of Yugoslavia.

Das kleine neoklassizistische Palais mit seinem zurückgesetzten Portal ist 1826 entstanden, errichtet nach einem Entwurf von Antonio Corazzi. Im zweiten Weltkrieg zerstört, ist es 1947–1948 als Sitz des jugoslawischen Botschafters wiederaufgebaut worden.

Pałac Elizy Wielopolskiej
The Palace of Eliza Wielopolska
Eliza-Wielopolska-Palais

Powstał w latach 1875–1876, wybudowany według projektu Józefa Hussa dla Adolfa Szmidta, zamożnego aptekarza i Antoniego Nagórnego, dyrektora Wydziału Przemysłu i Handlu Banku Polskiego. Posesja, na której pałac się znajdował, stała się w roku 1877 narożną, ponieważ wytyczono wówczas aleję Róż prostopadłą do Alej Ujazdowskich. Piętrowy pałac składa się z kwadratowego korpusu głównego (zwróconego frontem do Alej Ujazdowskich) oraz z przylegającej doń od tyłu wydłużonej oficyny. Elewacjom pałacu Józef Huss nadał formy wywodzące się z tradycji późnego klasycyzmu i włoskiego renesansu właściwe dla architektury berlińskiej tego czasu. Pierwotnie pomyślany był jako dwumieszkaniowy, a układ pomieszczeń na każdym piętrze był niemal identyczny; później w rozplanowaniu wnętrz nastąpiły duże zmiany, kiedy oba apartamenty połączono ze sobą.
Pałac wielokrotnie zmieniał właścicieli; w latach 1898–1932 stanowił własność margrabiny Elizy Wielopolskiej, która w roku 1899 podjęła gruntowną przebudowę jego wnętrz według projektu Karola Kozłowskiego. Roboty trwały kilka lat. Ze wzmianki w numerze 329 „Kuriera Warszawskiego" z dnia 27 listopada 1904 roku dowiadujemy się, że „pałacyk Elizy margrabiny Wielopolskiej położony u zbiegu alei Ujazdowskiej i alei Róż ulega całkowitej przebudowie wewnętrznej, zaprowadzeniu oświetlenia elektrycznego itp. W całym domu wre więc obecnie robota, która ma być ukończona dopiero w połowie przyszłego miesiąca. Właścicielka, od wczoraj bawiąca w naszym mieście, zmuszona była z tego powodu zamieszkać w hotelu Europejskim".
Z zawieruchy ostatniej wojny pałac szczęśliwie wyszedł obronną ręką. Po wojnie przystosowano go do potrzeb siedziby ambasady Królestwa Wielkiej Brytanii.

This small neo-Renaissance palace was built to designs by Józef Huss in 1875–1876. It changed owners repeatedly; in 1898–1832 it belonged to the Marchioness Eliza Wielopolska. It was not destroyed during the Second World War. Currently, the British Embassy is located there.

Das kleine Neorenaissancepalais wurde in den Jahren 1875–1876 nach einem Entwurf von Józef Huss erbaut. Es wechselte oftmals den Besitzer; 1898–1932 gehörte es der Markgräfin Eliza Wielopolska. Im zweiten Weltkrieg blieb es glücklicherweise unversehrt. Heute dient es als Botschaft Großbritanniens.

Pałac króla Stanisława Augusta w Łazienkach
The Palace of King Stanislaus Augustus in Łazienki
Palais König Stanislaus Augusts im Łazienki-Park

Pałac króla Stanisława Augusta w Łazienkach
The Palace of King Stanislaus Augustus in Łazienki
Palais König Stanislaus Augusts im Łazienki-Park

Łazienki to wielki zespół pałacowo-parkowy, związany nierozerwalnie z osobą Stanisława Augusta, niegdyś znajdujący się poza Warszawą, dziś w centrum stolicy. Ulubiona siedziba ostatniego króla Rzeczypospolitej – pałac Na Wyspie – usytuowana malowniczo między dwoma stawami jest z pewnością czymś w rodzaju herbu architektonicznego Warszawy.
Historię Łazienek, długą i nader skomplikowaną, sprowadzimy z konieczności do najważniejszych faktów. Oto Stanisław August na krótko przed elekcją w 1764 roku kupił od rodziny Lubomirskich Zamek Ujazdowski wraz z rozległym terenem Zwierzyńca rozciągającym się u stóp dawnej skarpy wiślanej. W roku 1766 król Stanisław August rozpoczął przebudowę zamku, który upatrzył sobie na prywatną siedzibę, zatrudniając m.in. architektów Dominika Merliniego i Efraima Schroegera oraz znanego francuskiego malarza dekoratora, Jean Pillementa. Stary zamek nie nadawał się jednak do przebudowy w duchu późnego baroku i wczesnego klasycyzmu i około roku 1775 król ostatecznie zaniechał bezowocnych zmagań z siedemnastowieczną strukturą budowli i w roku 1784 oddał Zamek Ujazdowski na koszary.
Król zniechęciwszy się do pomysłu przebudowy Zamku Ujazdowskiego, skupił swoją uwagę na barokowym pawilonie zwanym Łazienką, położonym na terenie Zwierzyńca, wzniesionym około roku 1690 dla ówczesnego właściciela Ujazdowa, marszałka Stanisława Herakliusza Lubomirskiego. Pawilon ten zaprojektował znakomity architekt holenderskiego pochodzenia, Tylman z Gameren. Łazienkę (która dała następnie nazwę całemu założeniu pałacowo-parkowemu) zaczęto przekształcać w roku 1775 zachowując początkowo jej dawny styl. Dopiero w 1784 roku otrzymała ona nową wczesnoklasycystyczną elewację południową. Po roku 1788 pawilon znacznie rozbudowano; dodano partie boczne, ukształtowano w duchu eleganckiego klasycyzmu akademickiego nową elewację północną, na koniec siedzibę połączono galeriami kolumnowymi, wzniesionymi na mostkach, z dwoma pawilonami zbudowanymi na lądzie. Roboty budowlane trwały do końca panowania Stanisława Augusta. Kiedy król opuszczał Warszawę w 1795 roku, nie były jeszcze zakończone.
Dawna barokowa Łazienka przestała istnieć, powstał natomiast nowy, klasycystyczny pałacyk zwany odtąd pałacem Na Wyspie lub pałacem Na Wodzie. Z dawnej Łazienki pozostały właściwie tylko wnętrza: Przedsionek, częściowo Jadalnia, Pokój Bachusa, Pokój Kąpielowy i Gabinet Króla na pierwszym piętrze. W latach 1788–1795 powstały nowe sale: Balowa, Salomona, Rotunda i Galeria Obrazów. Przebudowa Łazienki toczyła się pod kierunkiem Dominika Merliniego, z którym niejednokrotnie współpracował Jan Chrystian Kamsetzer. Przy dekoracji wnętrz pracowali malarze – Jan Bogumił Plersch i Marceli Bacciarelli oraz rzeźbiarze – André Le Brun i Giacomo Monaldi. Zaangażowanie Stanisława Augusta w dzieło tworzenia pałacu Na Wyspie było tak wielkie, że króla można śmiało uznać za współtwórcę tej siedziby. Wyrafinowany gust monarchy odcisnął się na ostatecznym kształcie pałacu, który wyróżnia się oryginalnością na tle klasycystycznej architektury europejskiej.
Pałac Na Wyspie został spalony przez Niemców w 1944 roku. Jego odbudowę, prowadzoną pod kierunkiem architekta Jana Dąbrowskiego, ukończono w roku 1965.
W rozległym parku krajobrazowym, założonym przez Jana Chrystiana Schucha, znajdują się inne budowle, których nie wolno pominąć. W północnej części parku, u zbiegu ulic Agrykoli i Myśliwieckiej, stoi Ermitaż, zbudowany podobnie jak Łazienka, w końcu XVII w. przez marszałka Stanisława Herakliusza Lubomirskiego. Pawilon ten został zmodernizowany w latach 1775–1777 z inicjatywy Stanisława Augusta i do dziś zachował pierwotny kształt.
Biały Domek jest najstarszym budynkiem wzniesionym przez Stanisława Augusta, zanim rozpoczęło się przekształcanie dawnej Łazienki. Zbudowano go w roku 1774, a jego wczesnoklasycystyczna dekoracja powstała w roku następnym. Ostatnia wojna nie wyrządziła mu poważniejszych szkód.
Budowę pałacyku Myślewickiego (jego nazwa pochodzi od folwarku Myślewice) rozpoczęto w 1775 roku, ukończono dopiero w 1779. Koncepcja tej budowli nie od razu była skrystalizowana. Początkowo wzniesiono dwupiętrową część środkową, następnie dodano do niej dwa ćwierćowalne parterowe skrzydła boczne, zamknięte ukośnie ustawionymi piętrowymi wieżyczkami, na koniec skrzydła te podwyższono o piętro. Pałacyk nosi cechy wczesnego klasycyzmu. Mieszkali w nim urzędnicy dworscy, a później przeznaczono go na mieszkanie księcia Józefa Poniatowskiego (jego monogram widnieje nad wejściem). I ten pawilon przetrwał szczęśliwie drugą wojnę światową.
Stara Pomarańczarnia powstała w latach 1786–1788. Wzniesiono ją na planie litery U. We wschodnim skrzydle umieszczono dworski teatrzyk, który uroczyście otwarto w 1788 roku. Budynek zaprojektował Dominik Merlini, dekorację malarską wykonali: Jan Bogumił Plersch, Antoni Gerżabek, Wawrzyniec Jasiński oraz Ignacy Antoni Dombrowski. Autorami rzeźb figuralnych są André Le Brun i Giacom Monaldi, a dekoracji sztukatorskiej – Pietro Staggi. Ocalały szczęśliwie teatrzyk odnowiono bardzo starannie w roku 1950. Jest to z pewnością jeden z najpiękniejszych klasycystycznych teatrzyków dworskich w Europie.
Amfiteatr (a właściwie teatr Na Wyspie), zaprojektowany przez Jana Chrystiana Kamsetzera, zbudowano w roku 1790. Scena tego teatru znajduje się na wyspie, a widow-

nia na brzegu stawu. Trwała dekoracja sceny nawiązuje do antycznych ruin miasta Baalbek, natomiast widownia wzorowana jest na antycznym teatrze w Herkulanum. Na zwieńczeniu widowni ustawiono szesnaście posągów przedstawiających najwybitniejszych dramaturgów starożytnych i nowożytnych – znalazły się tu również posągi Trembeckiego i Niemcewicza. Rzeźby te zaprojektował André Le Brun, a wykonał Tommas Righi. Zrobione z nietrwałego materiału, nie zachowały się do dziś. Niektóre z nich zastąpiono kopiami z piaskowca.
Łazienki będąc, jak już wspomniano, prywatną własnością Stanisława Augusta, po jego śmierci odziedziczyła rodzina, która sprzedała je carowi Aleksandrowi I. Zarówno nowy właściciel, jak i jego następcy bywali tu rzadko, dzięki czemu rezydencja szczęśliwie przetrwała bez większych zmian do roku 1915, kiedy objęły ją władze polskie. Do drugiej wojny światowej pałac Na Wyspie zachował w nienaruszonym stanie wystrój architektoniczny i oryginalne wyposażenie.
Po upadku powstania warszawskiego Niemcy spalili pałac, a następnie chcieli, lecz nie zdążyli, wysadzić go w powietrze. Po wojnie podjęto trwającą wiele lat odbudowę i rekonstrukcję.

GABINET PORTRETOWY · THE PORTRAIT STUDY · PORTRÄTKABINETT

ROTUNDA · ROTUNDA · ROTUNDE ▶

LUCAN. LIB. X. UTILE MU
CASIMIRUS
SIGISMUNDUS PRIMUS

Pałac króla Stanisława Augusta w Łazienkach
The Palace of King Stanislaus Augustus in Łazienki
Palais König Stanislaus Augusts im Łazienki-Park

Shortly before his election in 1764, King Stanislaus Augustus bought the Ujazdowski Castle from the Lubomirski family. His new estate included an extensive zoological garden at the foot of the old Vistula escarpment. With the help of architects Domenico Merlini and Ephraim Schroeger, he embarked upon a rebuilding of the castle but abandoned the project within a few years. In 1775, he started rebuilding a baroque bath house which Tylman van Gameren had built for Prince Stanisław Herakliusz Lubomirski, then owner of Ujazdów, around 1690. The rebuilding was carried out in stages and lasted twenty years, until the end of the king's reign. The pavilion was transformed entirely: in 1784, it was given a new southern facade and, in 1788, a new northern one. The newly formed palace, picturesquely located between two ponds, was called the Palace-On-The-Water or Palace-On-The-Island. It is the work of Domenico Merlini and Jan Chrystian Kamsetzer. Its charming architecture is original with respect to European neoclassical forms. The palace was burned down by the Germans in 1944. After the war, it was painstakingly restored. There is a number of other pavilions in the large landscape park created by Jan Chrystian Schuch: the Hermitage (17th century, modernized in 1775–1777); the Small White House erected in 1774–1775, the Myślewicki Palace built in 1775–1779 and the Old Orangery with a small theater in the eastern wing, constructed in 1786–1788. Domenico Merlini was active in all these constructions. The Amphitheater (rather Theater on an Island) is the work of Jan Chrystian Kamsetzer, built around 1790. The stage of this theater is located on an island, the audience on the bank of the lake. It was truly one of the most original garden theaters in all of 18th century Europe.

Kurz vor seiner Wahl zum König von Polen erwarb Stanislaus August 1764 von den Lubomirskis Schloß Ujazdów ein-

POKÓJ KĄPIELOWY · BATHING ROOM · BAD

schließlich des sich am Fuße der alten Weichselböschung hinziehenden weiten Tiergeheges. Kurze Zeit später begann er mit Hilfe der Architekten Domenico Merlini und Ephraim Schröger mit dem Umbau des Schlosses, doch nach einigen Jahren verzichtete er auf dieses Vorhaben. Dafür begann er mit der Umgestaltung des auf dem Gelände des Tiergeheges stehenden barocken Badehauses, das um 1690 nach einem Entwurf von Tylman van Gameren für Fürst Stanisław Herakliusz Lubomirski, den damaligen Besitzer von Schloß Ujazdów, errichtet worden war. Der in Etappen durchgeführte Umbau dauerte 20 Jahre, d.h. bis zum Ende der Herrschaft von König Stanislaus August. Das Äußere des Bauwerks wurde vollkommen verändert. 1784 bekam es eine neue Südfassade und 1788 die Nordfassade. Das umgestaltete, malerisch zwischen zwei Teichen gelegene Bad hieß seitdem Wasserpalais oder Inselpalais. Es ist das Werk von Domenico Merlini und Johann Christian Kamsetzer. Die anmutige Architektur dieser Sommerresidenz sticht unter der neoklassizistischen Architektur Europas durch ihre Originalität hervor. Das 1944 von den Deutschen niedergebrannte Palais ist nach dem Krieg liebevoll wiederaufgebaut worden. Im dem von Jan Chrystian Schuch angelegten ausgedehnten Landschaftspark gibt es außerdem andere Pavillons: die aus dem 17. Jh. stammende und 1775–1777 modernisierte Ermitage, das 1774–1775 errichtete Weiße Haus, das 1775–1779 gestaltete Myślewicki-Palais und die 1786–1788 erbaute Alte Orangerie mit dem kleinen Hoftheater im Ostflügel. Am Bau dieser Pavillons war Domenico Merlini beteiligt. Ein ausschließlich von Johann Christian Kamsetzer stammendes Werk ist das 1790 erbaute Amphitheater (eigentlich ein Inseltheater). Die Bühne des Theaters liegt auf einer Insel, während sich die Zuschauertribüne am Ufer des Teiches erhebt. Dadurch ist es bestimmt eines des eigenwilligsten im 18. Jh. in Europa errichteten Gartentheater.

SALA BALOWA · BALLROOM · BALLSAAL

Pałac króla Stanisława Augusta w Łazienkach
The Palace of King Stanislaus Augustus in Łazienki
Palais König Stanislaus Augusts im Łazienki-Park

PAŁAC MYŚLEWICKI
THE MYŚLEWICKI PALACE
MYŚLEWICKI-PALAIS

PAŁAC MYŚLEWICKI
– SALA JADALNA
THE MYŚLEWICKI PALACE
DINING ROOM
MYŚLEWICKI-PALAIS,
SPEISESAAL

◀ PAŁAC NA WYSPIE
OD STRONY
PÓŁNOCNEJ
THE PALACE-ON-WATER
SEEN FROM THE NORTH
INSELPALAIS,
NORDANSICHT

ELEWACJA POŁUDNIOWA
STAREJ POMARAŃCZARNI
THE OLD ORANGERY,
SOUTH FRONT
SÜDFASSADE
DER ALTEN ORANGERIE

TEATRZYK STAREJ
POMARAŃCZARNI
THE OLD ORANGERY,
SMALL THEATER
THEATER
IN DER ALTEN ORANGERIE

AMFITEATR
THE AMPHITHEATER
AMPHITHEATER

BIAŁY DOMEK
THE WHITE HOUSE
WEISSES HAUS

Pałac Belweder
The Belweder Palace
Belvedere

Pałac Belweder położony jest wyjątkowo malowniczo na skraju skarpy wiślanej, której zbocze i podnóże pokrywa rozległy park krajobrazowy, łączący się z parkiem Łazienkowskim. Urok tego miejsca odkryto już w XVII w.

W roku 1659 kanclerz wielki litewski Krzysztof Pac wystawił tu dla żony niewielki pałacyk podmiejski, który w roku 1663 był już z pewnością ukończony. Roztaczał się stąd piękny widok na okolicę, dlatego też nazwano posiadłość z włoska Belweder (piękny widok). W obecnym stanie badań nie wiemy, jak ten pałacyk wyglądał, wiemy natomiast, że w roku 1685 żona Paca, Klara Izabella de Mailly Lascaris, zapisała Belweder ich przybranemu synowi – Kazimierzowi Michałowi Pacowi, pisarzowi Wielkiego Księstwa Litewskiego. W zapisie tym Belweder nazwany jest pałacem, a położony przy nim ogród określono jako „włoski". W roku 1697 Kazimierz Michał odsprzedał posiadłość wraz z zabudowaniami cześnikowej trockiej, Katarzynie Michałowskiej. W pierwszej połowie XVIII w. posiadłość często zmieniała właścicieli, aż po pewnym czasie wróciła do Paców. Około roku 1740 wznieśli oni na miejscu dawnego pałacyku nową piętrową budowlę nakrytą łamanym dachem, noszącą cechy późnego baroku, projektowaną zapewne przez Józefa Fontanę. Belweder stanowił później własność Lubomirskich, następnie Kazimierza Karasia, kasztelana wizkiego, aż wreszcie w 1767 roku przeszedł w ręce Stanisława Augusta, który niebawem uruchomił w północnej oficynie pałacu Królewską Farfurnię – manufakturę fajansów. Król nosił się z myślą wybudowania w Belwederze wielkiego pa-

łacu zamykającego perspektywę Alei Ujazdowskich, jednakże na przeszkodzie stanęły trudności finansowe stale trapiące monarchę. Pozostały z tego zamysłu tylko piękne projekty wykonane w latach 1776–1779 przez Jana Chrystiana Kamsetzera.

Po śmierci króla posiadłość odziedziczył jego bratanek, książę Józef Poniatowski, później przeszła w ręce rodziny Kickich, którzy sprzedali ją w roku 1818 rządowi Królestwa Polskiego na rezydencję dla naczelnego wodza wojsk polskich, brata cara Aleksandra I – wielkiego księcia Konstantego. Na jego rozkaz przystąpiono niebawem do budowy nowego pałacu według projektu Jakuba Kubickiego. Roboty toczyły się do końca 1822 roku. Ponieważ Belweder znajdował się wówczas na krańcach miasta, Kubicki nadał mu świadomie cechy klasycystycznej rezydencji wiejskiej wykorzystując istniejący tu późnobarokowy pałac wzniesiony przez Paców. Reprezentacyjny charakter, jakiego wymagała siedziba wielkiego księcia, architekt osiągnął przez umiejętne zestawienie piętrowego korpusu głównego i parterowych skrzydeł załamanych pod kątem prostym. Utworzył się dzięki temu wielki dziedziniec honorowy. Około roku 1822 w parku otaczającym pałac powstały dekoracyjne pawilony, między innymi Świątynia Egipska i klasycystyczna Świątynia Diany.

Wielki książę Konstanty wraz z żoną Joanną Grudzińską (która otrzymała tytuł księżny łowickiej) mieszkali w Belwederze do roku 1830, tj. do wybuchu powstania listopadowego. W tym okresie koncertował tu kilkakrotnie młody Fryderyk Chopin. Czystość i porządek w ogrodzie i na dziedzińcu

WIDOK OD STRONY PARKU
VIEW FROM THE GARDEN
ANSICHT VOM PARK HER

utrzymywali przykuwani do taczek obywatele skazywani za drobne wykroczenia na przymusowe roboty. Kara ta spotykała robotników, rzemieślników, kupców, studentów i uczniów. Wśród skazanych znalazł się między innymi Maurycy Mochnacki, pisarz i publicysta, który przepracował w kajdanach w ogrodzie belwederskim czterdzieści dni.
W XIX w. pałac stanowił własność carów rosyjskich. W czasie pierwszej wojny światowej był siedzibą niemieckiego generała-gubernatora Hansa Hartwiga von Beselera. Po pierwszej wojnie światowej wszedł w skład zespołu państwowych gmachów reprezentacyjnych. Był najpierw rezydencją Naczelnika Państwa, Marszałka Józefa Piłsudskiego, od roku 1922 stał się siedzibą prezydenta Rzeczypospolitej Gabriela Narutowicza. Po jego tragicznej śmierci zamieszkał w pałacu prezydent Stanisław Wojciechowski. Po przewrocie majowym w roku 1926 wrócił do Belwederu Marszałek Józef Piłsudski, który mieszkał tu do śmierci w 1935 roku.
W czasie ostatniej wojny światowej Niemcy gruntownie przebudowali pałac w latach 1940–1943 i przeznaczyli go na oficjalną rezydencję generalnego gubernatora Hansa Franka.
W roku 1945 Belweder przeznaczono na siedzibę prezydenta Bolesława Bieruta, później użytkowali go kolejni przewodniczący Rady Państwa, jeszcze później – do 1994 roku – znowu prezydenci.
Belweder to jeden z nielicznych pałaców w Warszawie, który z zawieruchy wojennej wyszedł szczęśliwie obronną ręką.

The Belweder Palace has a very picturesque location, at the top of the Vistula escarpment, overlooking a landscape park extending down the slope to join the Łazienki Park. The charming beauty of the spot was appreciated a long time ago: in the middle of the 17th century, the Pac family had a small suburban villa constructed here. They called it the Belvedere from the Italian

SALA GOBELINOWA · GOBELIN HALL · GOBELINSAAL

word describing the beautiful view the site commanded. The estate changed owners repeatedly, and in the second half of the 18th century it belonged to King Stanislaus Augustus who opened a faience factory here. The palace received its neoclassical appearance in 1818–1822 when the architect Jakub Kubicki rebuilt it into the residence of the Grand Prince Constantine, brother of Czar Alexander I and commander in chief of the Polish army. In the period between the wars the palace was used by the Head of the Restored Polish State, Marshal Józef Piłsudski, who died here in 1935. The palace escaped being destroyed in the Second World War. After 1945 it was used as the official residence of successive Heads of State.

Das Belvedere ist äußerst malerisch auf der Weichselböschung gelegen, an deren Abhang sich ebenso wie in der Niederung ein weiter, mit dem Łazienki-Park in Verbindung stehender Landschaftspark erstreckt. Die Schönheit dieser Gegend wußte man schon lange zu schätzen. Mitte des 17. Jh. erbaute die Familie Pac hier eine kleine Vorstadtvilla, die wegen der schönen Aussicht, die man von hier aus hatte, Belvedere genannt wurde. Das Grundstück wechselte häufig den Besitzer. In der zweiten Hälfte des 18. Jh. gehörte es König Stanislaus August, der hier eine Fayencewerkstatt einrichtete. Seinen neoklassizistischen Charakter bekam der Palast in den Jahren 1818–1822, als er vom Architekten Jakub Kubicki in den Amtssitz des Großfürsten Konstantin, des Bruders von Zar Alexander I. und Oberbefehlshabers der polnischen Truppen, umgebaut wurde. In der Zeit zwischen den beiden Weltkriegen wurde das Belvedere u.a. von Marschall Józef Piłsudski, dem Staatsoberhaupt des wiedergeborenen polnischen Staates, benutzt, der hier 1935 starb. Im zweiten Weltkrieg blieb der Palast unversehrt. Nach 1945 war er der offizielle Amtssitz der einzelnen Staatschefs.

SALA POMPEJAŃSKA · POMPEIAN HALL · POMPEJANISCHER SAAL

Pałac Lubomirskich (Szustra)
The Lubomirski (Szustra) Palace
Lubomirski- oder Szuster-Palais

Pałac księżny marszałkowej Izabelli z Czartoryskich Lubomirskiej zaprojektowany przez Efraima Schroegera, został wzniesiony w latach 1772–1774. Była to właściwie niewielka klasycystyczna willa, usytuowana na tarasie wysokiej skarpy, stanowiąca główny budynek założenia ogrodowego w Mokotowie komponowanego przez Szymona Bogumiła Zuga.
W suterenie pałacu mieściła się łazienka, wyżej pomieszczenia reprezentacyjne. Pokoje od południa były niższe, tak że mieścił się nad nimi niewielki apartament mieszkalny w antresoli. Pałac otrzymał wspaniałe wyposażenie wnętrz, które tak scharakteryzował w roku 1774 poeta Kajetan Skrzetuski:

W każdym pokoju dziwić się sto razy
Trzeba; czy to kształt, czy zważysz wyrazy,
Czyli też meblów kosztownych wybory,
Sztukatorskiego czyli dłuta wzory,
Czyli misternie złocone podwoje,
Rzekniesz: to samej Junony pokoje.

W roku 1791 Szymon Bogumił Zug przebudował pałac zmieniając m.in. elewację wschodnią, której nadał zachowany do dziś asymetryczny układ. Po śmierci księżny Izabelli Lubomirskiej w roku 1816 w wyniku działów rodzinnych Mokotów przeszedł na własność jej córki Aleksandry, żony Stanisława Kostki Potockiego, wybitnego mecenasa sztuki, ministra Wyznań Religijnych i Oświecenia Publicznego w rządzie Królestwa Polskiego.
Już w roku 1820 Mokotów zmienił właściciela. Aleksander Potocki, syn Stanisława Kostki i Aleksandry z Lubomirskich, rozwodząc się z pierwszą żoną Anną z Tyszkiewiczów, ofiarował jej Mokotów jako ekwiwalent sum włożonych przez nią w upiększenie pałacu w Natolinie. Nowa właścicielka zajęła się rezydencją i podniosła ją do stanu pierwotnej świetności. W roku 1825 przekształciła pałac i kazała nadać elewacji zachodniej i północnej charakter neogotycki. Autorem tej przebudowy był zapewne Henryk Marconi. Obie elewacje zachowały się do dziś bez poważniejszych zmian. W roku 1845 Mokotów nabył znany litograf warszawski Franciszek Szuster. W drugiej połowie XIX w. pałac dwukrotnie rozbudowano, m.in. po roku 1865 dobudowano doń od południa piętrową oficynkę.
Pałac spalił się od bomb niemieckich w roku 1939. Odbudowano go w latach sześćdziesiątych dla Warszawskiego Towarzystwa Muzycznego, przywracając mu z zewnątrz wygląd taki, jaki miał u schyłku XIX stulecia. Autorem projektu odbudowy był architekt Jerzy Brabander.

Princess Izabella Lubomirska had the palace built in 1772–1774, to architect Ephraim Schroeger's designs. It was a small neoclassical villa which constituted the center of a large garden complex landscaped by Szymon Bogumił Zug. The structure was rebuilt several times and enlarged. In the 19th century it belonged to a recognized Warsaw lithographer Franciszek Szuster. It burned down from German bombs in September 1939. Rebuilt in the sixties, it was restored to its original late 19th century appearance and turned over to the Warsaw Musical Society.

Das kleine Palais wurde in den Jahren 1772–1774 auf Initiative der Fürstin Izabella Lubomirska nach einem Entwurf des Architekten Ephraim Schröger errichtet. Es war eine kleine neoklasizistische Ville, die den Mittelpunkt einer großen, von Simon Gottlieb Zug gestalteten Gartenanlage bildete. Das Palais wurde mehrfach um- und ausgebaut. Im 19. Jh. gehörte es dem bekannten Warschauer Lithographen Franciszek Szuster. Im September 1939 wurde es von den Deutschen bombardiert und brannte ab. In den sechziger Jahren baute man es als Sitz der Warschauer Musikgesellschaft wieder auf, und dabei bekam es erneut das Aussehen, das es am Ausgang des 19. Jh. gehabt hatte.

WIDOK OD WSCHODU · VIEW FROM THE EAST · OSTANSICHT

Pałac Lubomirskich (Szustra)
The Lubomirski (Szustra) Palace
Lubomirski- oder Szuster-Palais

WIDOK OD ZACHODU
VIEW FROM THE WEST
WESTANSICHT

WIDOK OD PÓŁNOCY
VIEW FROM THE NORTH
NORDANSICHT

SALA REPREZENTACYJNA ►
OFFICIAL HALLS
REPRÄSENTATIONSSAAL

Pałac Królikarnia
The Królikarnia Palace
Królikarnia-Palais

Nazwa pałacu i przyległego doń terenu, obejmującego dawną skarpę wiślaną malowniczo poprzecinaną wąwozami, pochodzi od prowadzonej tu niegdyś hodowli królików przeznaczonych do dworskich polowań, należącej do króla Augusta II. W roku 1778 szambelan króla Stanisława Augusta, hr. Karol de Valery-Thomatis nabył Królikarnię od ówczesnej właścicielki księżny Izabelli z Czartoryskich Lubomirskiej z zamiarem wybudowania tu własnej siedziby. Projekty pałacu przedstawiło podobno kilku architektów. Do realizacji wybrano projekt architekta królewskiego Dominika Merliniego i jemu powierzono również prowadzenie budowy. Zakładanie rezydencji rozpoczęto od budowy oficyn gospodarczych i kurnika, wzniesionych w latach 1779–1780. Następnie pomiędzy 1780 a 1782 rokiem wystawiono na zboczu skarpy północnego wąwozu okrągły budynek kuchni wzorowany na słynnym grobowcu Cecylii Metelli w Rzymie. Kuchnia ta została później połączona podziemnymi przejściami z pałacem i z grotą pod tarasem przy elewacji wschodniej pałacu.

Budowa samego pałacu na skraju tarasu dawnej skarpy wiślanej rozpoczęła się w 1782 roku i trwała cztery lata. Była to klasycystyczna willa na planie kwadratu, z okrągłą salą pośrodku, nakrytą kopułą na bębnie, z kolumnowym portykiem w elewacji frontowej i z trzema ryzalitami w pozostałych elewacjach. Wzorowana była w ogólnym układzie na słynnej renesansowej Villa Almerico-Capra, zwanej La Rotonda, pod Vicenzą, wzniesionej przez wielkiego włoskiego architekta Andrea Palladio około 1570 roku. Na terenach otaczających pałac urządzano wspaniały ogród. Bale i przyjęcia wydawane przez Thomatisa słynęły w całej Warszawie. Królikarnia stała się modnym celem niedzielnych wycieczek mieszkańców stolicy, tym bardziej że ogród był dostępny, a od roku 1783 istniała tam znakomita traktiernia, z której każdy za pieniądze mógł korzystać. Podczas insurekcji kościuszkowskiej Królikarnia została poważnie zniszczona, a sam Thomatis zraniony odłamkiem kartacza rosyjskiego. W dniach od 10 do 14 lipca 1794 roku w pałacu kwaterował Tadeusz Kościuszko. Po śmierci Thomatisa posiadłość przeszła na własność jego dzieci, od których odkupił ją w 1816 roku książę Michał Hieronim Radziwiłł, ostatni wojewoda wileński, właściciel Nieborowa i Arkadii, wybitny kolekcjoner dzieł sztuki. W pałacu umieścił część swoich zbiorów, m.in. kolekcję obrazów i część biblioteki. W roku 1849 Królikarnię kupił hr. Ksawery Pusłowski; w rękach jego rodziny posiadłość pozostała aż do wybuchu drugiej wojny światowej. Ksawery Pusłowski był również kolekcjonerem. Zgromadził w Królikarni cenny księgozbiór, kolekcję gobelinów, brązów, marmurów i obrazów. Wszystko to uległo zniszczeniu w czasie pożaru pałacu w sierpniu 1879

Pałac Królikarnia
The Królikarnia Palace
Królikarnia-Palais

roku. Odbudowę siedziby podjęto natychmiast na podstawie zachowanych pomiarów i fragmentów ocalałej dekoracji. Wierna rekonstrukcja pałacu była dziełem Józefa Hussa. Zakończenie prac budowlanych w roku 1880 upamiętniono okolicznościową tablicą wmurowaną w sali okrągłej. We wrześniu 1939 roku pałac uległ ponownie zniszczeniu. W czasie powstania warszawskiego w 1944 roku na terenie pałacowego ogrodu toczyły się walki. Spłonął wówczas budynek kuchni, zrujnowany został taras z grotą, poważnie ucierpiał też wspaniały drzewostan parku.
Odbudowę pałacu, z funduszów SFOS przy wydatnej pomocy Wojska Polskiego, podjętą w 1959 ukończono w 1965 roku i przeznaczono go na siedzibę Muzeum Xawerego Dunikowskiego. Projekt odbudowy pałacu wykonał Jan Bieńkowski. Spośród wnętrz pałacowych tylko sali okrągłej przywrócono pierwotny charakter. Muzeum Xawerego Dunikowskiego – Oddział Muzeum Narodowego w Warszawie – otwarto 26 stycznia 1965 roku, w pierwszą rocznicę śmierci wielkiego rzeźbiarza.
Park krajobrazowy w Królikarni został pieczołowicie zrekonstruowany w 1968 roku według projektu Longina Majdeckiego.

The name of the locality comes from a rabbit (*królik* in Polish) farm which once operated here and which belonged to King Augustus II. In 1778, Count Karol de Valery-Thomatis, chamberlain to King Stanislaus Augustus, acquired the estate and embarked upon the construction of his own residence. He started with the outbuildings and rabbit hutches in 1778–1780.The next to be erected was the kitchen pavilion (between 1780 and 1782) which was modeled on the Tomb Monument of Cecilia Metella in Rome, and lastly, in the years 1782–1786, the palace itself, built to designs by the Italian architect Domenico Merlini. In general layout, the little palace is modelled on the famous Renaissance Villa Almerico-Capra near Vicenza, which had been constructed by the great Andreo Palladio around 1570.
In 1816, the Królikarnia estate was acquired by the Radziwiłłs and in 1849 it went to the Pusłowski family. The palace burned down in 1879, but was immediately rebuilt. Bombed by the Germans in 1939, it burned down again. The rebuilding was completed by 1965 and the palace was made into a museum commemorating the great Polish sculptor Xawery Dunikowski.

Der Name der Stätte geht auf die einst dort befindliche Kaninchenfarm von König August II. zurück. 1778 kaufte Graf Charles de Valery-Thomatis, Kammerherr König Stanislaus Augusts, das Grundstück und begann mit dem Bau eines eigenen Wohnsitzes. Begonnen wurde die Anlage mit dem Bau von Wirtschaftsgebäuden und einem Hühnerstall, der in den Jahren 1778–1780 errichtet wurde. Zwischen 1780 und 1782 wurde der Küchenpavillon ausgebaut, und zwar nach dem Vorbild des Grabmals der Cäcilia Metella in Rom. Zuletzt entstand das eigentliche kleine Palais, errichtet in den Jahren 1782–1786 nach einem Entwurf des italienischen Architekten Domenico Merlini. In seiner Anlage entspricht dieser Palast dem Vorbild der um 1570 von dem Architekten Andrea Palladio errichteten berühmten Renaissancevilla Almerico-Capra bei Vicenza.
Ab 1816 gehörte das Królikarnia-Palais den Radziwiłłs und ab 1849 den Pusłowskis. 1879 brannte das Palais ab, wurde aber umgehend wiederaufgebaut. Zum zweiten Mal geriet es 1939 durch deutsche Bomben in Brand. Der Wiederaufbau als Museum zu Ehren des Bildhauers Xawery Dunikowski wurde 1965 abgeschlossen.

WIDOK OD WSCHODU
VIEW FROM THE EAST
OSTANSICHT

ROTUNDA · ROTUNDA · ROTUNDE ▶

Pałac Krasińskich w Ursynowie
The Krasiński Palace in Ursynów
Krasiński-Palast in Ursynów

Rozkosz, później Ursynów, to malownicza posiadłość położona na skraju skarpy wiślanej, pomiędzy Służewem i Natolinem, dziś jedna z największych dzielnic mieszkaniowych Warszawy. W latach siedemdziesiątych XVIII w. powstała tu jedna z licznych siedzib podmiejskich. Historia tej rezydencji rozpoczyna się 28 kwietnia 1775 roku, kiedy to Józef de Maisonneuve, pułkownik wojsk koronnych i amant księżny Izabelli z Czartoryskich Lubomirskiej otrzymał od jej ojca księcia Augusta Aleksandra Czartoryskiego, ówczesnego dziedzica Wilanowa, teren „niedaleko dworu służewieckiego" z olszyną, kawałem łąki „i rzeczką przez nią ciągnącą się". Maisonneuve zobowiązał się teren ten jak najprędzej ogrodzić i wpłacać zań corocznie 250 złotych polskich do dworu służewieckiego, należącego do dóbr wilanowskich. W roku 1777 w Rozkoszy istniał już dworek „i inne budowy" wzniesione przez Józefa de Maisonneuve. W roku 1783 nadanie księcia Augusta Aleksandra Czartoryskiego zostało potwierdzone przez Izabellę i Stanisława Lubomirskich, a w rok później Maisonneuve ustąpił swe prawa do posiadłości i wymurowanego pałacyku księżnie Joannie z Sułkowskich Sapieżynie, która w roku 1785 przekazała je Aleksandrze z Lubomirskich i Stanisławowi Kostce Potockim. W dziejach posiadłości rozpoczął się nowy rozdział.

Stanisław Kostka Potocki, architekt amator i pierwszy polski historyk sztuki, niebawem podjął w Rozkoszy roboty budowlane (toczące się w latach 1785–1786), którymi z przerwami kierował Chrystian Piotr Aigner. Obaj – Potocki i Aigner – byli autorami projektu przebudowy siedziby. Początkowo zamierzano nadbudować pałacyk o piętro, ostatecznie jednak ukształtowano go w formie klasycystycznego parterowego pawilonu z czterokolumnowym portykiem od frontu. Po bokach pałacyku wznosiły się niewielkie oficynki, prawą zajmowała kuchnia. Zbudowano również stajnię i wozownię. Rozkosz stała się w tym czasie wiejską rezydencją Stanisławostwa Potockich.

W roku 1799 posiadłość przeszła na własność niejakiego Grzegorza Wykowskiego, który w kilka lat później sprzedał ją Ignacemu Kochanowskiemu. W roku 1822 właścicielem Rozkoszy był już Julian Ursyn Niemcewicz i zamyślał zmienić nazwę majątku na „Ameryka" lub „Waszyngton" dla upamiętnienia swego pobytu w Stanach Zjednoczonych. Przyjaciele odradzili jednakże poecie ten pomysł i siedziba otrzymała nazwę „Ursynów" od starego przydomka rodu Niemcewiczów. Poeta odnowił dom mieszkalny oraz zabudowania, uporządkował również park i najbliższe otoczenie posiadłości. Po upadku powstania listopadowego Ursynów został skonfiskowany; Niemcewicz osiadł na emigracji. W latach 1832–1840 siedzibę dzierżawił znany lekarz warszawski dr Wilhelm Malcz, potem prze-

Pałac Krasińskich w Ursynowie
The Krasiński Palace in Ursynów
Krasiński-Palast in Ursynów

szła na jakiś czas w ręce hr. Aleksandra Potockiego (dziedzica klucza wilanowskiego), który przekazał ją następnie swej towarzyszce życia Aleksandrze z Markowskich Stokowskiej.

W roku 1848 weszła w posiadanie Ursynowa Eliza z Branickich Krasińska, żona poety Zygmunta i postanowiła wybudować tu rezydencję dla siebie i męża. Projekt pałacu wykonał Zygmunt Rozpędowski, a roboty toczyły się w latach 1858–1860. Małżeństwo nigdy tu jednak nie zamieszkało. Zygmunt Krasiński zmarł bowiem w roku 1859. Wzniesiony na skraju skarpy wiślanej pałac wchłonął zapewne istniejący dawny parterowy pałacyk. Nowa siedziba była neorenesansową piętrową budowlą, regularną i symetryczną, wybudowaną na wydłużonym planie i odznaczającą się skomplikowaną bryłą. Do tej budowy zastosowano żeliwo, materiał wchodzący dopiero w powszechne użycie. Taras pierwszego piętra pomiędzy ryzalitami elewacji ogrodowej wsparty jest na czterech parach smukłych żeliwnych kolumienek. Dekorację rzeźbiarską pałacu opracował Juliusz Faustyn Cengler. Trójkątny fronton elewacji frontowej wieńczą rzeźby dzieci personifikujących cztery pory roku. We wnękach ryzalitów bocznych znalazły się rzeźby przedstawiające Fortunę i Ceres, tę samą elewację ozdobiono również popiersiami czterech hetmanów: Stanisława Koniecpolskiego, Stefana Czarnieckiego, Pawła Sapiehy i Jana Tarnowskiego. Elewację ogrodową zdobią natomiast popiersia królowych: Wandy, Dąbrówki, Jadwigi i Barbary. Spadek terenu od strony ogrodowej wykorzystano na założenie malowniczych tarasów i schodów, dzięki którym park ursynowski uchodził za jedno z najpiękniejszych założeń tego rodzaju w okolicach Warszawy.

Eliza Krasińska w rok po śmierci męża poślubiła znacznie młodszego od siebie Ludwika Krasińskiego, człowieka rzutkiego i energicznego, który zajął się administracją jej ogromnego majątku. W dziejach Ursynowa rozpoczął się trzydziestoletni okres rozkwitu. Eliza zmarła w roku 1876. Posiadłość przekazała testamentem swemu drugiemu mężowi. Po jego śmierci w roku 1895, Ursynów dostał się ordynatowi opinogórskiemu Adamowi Krasińskiemu, wnukowi Zygmunta. Nowy właściciel ofiarował posiadłość w roku 1906 Seminarium Nauczycieli Ludowych, które mieściło się tu jeszcze w dwudziestoleciu międzywojennym. Pierwsza wojna światowa przyniosła dawnemu zespołowi rezydencjonalnemu duże zniszczenia. W roku 1915 wycofujące się wojska rosyjskie wycięły wspaniały park, którego już nigdy nie zrekonstruowano. Schody i tarasy założone na stoku skarpy wiślanej stopniowo popadały w ruinę. Z drugiej wojny światowej pałac wraz z otoczeniem wyszedł obronną ręką. Po roku 1945 przez jakiś czas mieściło się tu gimnazjum i liceum ogrodnicze, a w roku 1949 zapadła decyzja budowy w Ursynowie Centralnej Szkoły Państwowych Ośrodków Maszynowych i Spółdzielni Produkcyjnych. Projekt nowych zabudowań opracował Ste-

ELEWACJA WSCHODNIA · EAST FRONT · OSTFASSADE

POPIERSIE DĄBRÓWKI W ELEWACJI WSCHODNIEJ
BUST OF DĄBRÓWKA IN THE EAST FRONT
DĄBRÓWKA-BÜSTE AN DER OSTFASSADE

POPIERSIE STANISŁAWA KONIECPOLSKIEGO W ELEWACJI FRONTOWEJ
BUST OF STANISŁAW KONIECPOLSKI IN THE FACADE
BÜSTE STANISŁAW KONIECPOLSKIS AN DER VORDERSEITE

fan Tworkowski i jego zespół. Uszanowano neorenesansowy pałac, który stał się ośrodkiem nowego założenia. W latach 1950–1952 wzniesiono m.in. budynki internatów, jadalnię i aulę – tę ostatnią dekorowały następnie malarki Leokadia Bielska-Tworkowska i Maria Wolska-Berezowska. W roku 1956 cały ten zespół przekazano Szkole Głównej Gospodarstwa Wiejskiego.

In the second half of the 18th century, the locality was known under the name "Rozkosz" (Delight). In the 1770s, Colonel Joseph de Maisonneuve, lover of the Princess Izabella Lubomirska née Czartoryska, resided here. Later the estate went to Count Stanisław Kostka Potocki who in 1785–1786 rebuilt the palace that had stood there, working together with the architect Chrystian Piotr Aigner to give it a neoclassical appearance. In 1822, the Rozkosz estate was owned by the poet Julian Ursyn Niemcewicz. His old family cognomen gave it its present name – Ursynów, which has also come to designate one of Warsaw's modern residential districts. In 1848, the residence was acquired by Countess Eliza Krasińska, wife of the great Polish poet Zygmunt Krasiński. It was she who commissioned architect Zygmunt Rozpędowski to transform the existing neoclassical building into a monumental neo-Renaissance palace which is used today by the Academy of Agriculture.

In der zweiten Hälfte des 18. Jh. hieß die Ortschaft Rozkosz (Wonne, Wollust, Genuß). In den siebziger Jahren jenes Jahrhunderts hatte dort Oberst Joseph de Maisonneuve, Liebhaber der Fürstin Izabella Lubomirska, geb. Czartoryska, seinen Sitz. Später ging das Gut in den Besitz des Grafen Stanisław Kostka Potocki über, der den kleinen vorhandenen Palast in den Jahren 1785–1786 umbauen ließ und ihm gemeinsam mit dem Architekten Christian Peter Aigner sein neoklassizistisches Äußeres verlieh. 1822 war der Dichter Julian Ursyn Niemcewicz der Eigentümer von Rozkosz. Damals bekam der Landsitz nach dem alten Beinamen des Besitzers die Bezeichnung Ursynów. Dieser Name hat sich bis heute gehalten und bezieht sich jetzt auf einen neuen Stadtteil Warschaus. 1848 wurde der Landsitz Eigentum der Gräfin Eliza Krasińska, der Gemahlin des bedeutenden polnischen Dichters Zygmunt Krasiński. Auf ihre Initiative hin verwandelte der Architekt Zygmunt Rozpędowski den kleinen existierenden neoklassizistischen Palast in eine prächtige Neorenaissanceresidenz, die heute von der Hochschule für ländliche Wirtschaft genutzt wird.

Pałac Potockich w Natolinie
The Potocki Palace in Natolin
Potocki-Palais in Natolin

Bażantarnia, później Natolin, to piękna miejscowość opodal Wilanowa, znana z osiemnastowiecznego pałacyku wzniesionego na skraju tarasu dawnej skarpy wiślanej i z rozciągającego się u jej stóp rozległego krajobrazowego parku. Za panowania Jana III znajdowała się tu hodowla bażantów i stąd nazwa, która przetrwała do początku XIX w. W pierwszej połowie XVIII w. podmokły las porastający te tereny został przecięty pięcioma promieniście rozchodzącymi się alejami skupiającymi się na wysuniętym nieco tarasie wspomnianej już skarpy. Las przecinała również aleja poprzeczna do osi głównej oraz kanał i rowy osuszające.
W latach 1780–1783 z inicjatywy ówczesnego dziedzica Wilanowa, księcia Augusta Aleksandra Czartoryskiego, wzniesiono na skraju skarpy klasycystyczny pałac według projektu Szymona Bogumiła Zuga. Po śmierci księcia w roku 1782 roboty przy wykończeniu siedziby kontynuowane były przez jego córkę, księżną Izabellę Lubomirską, marszałkową wielką koronną, która otrzymała w spadku klucz wilanowski.
Pałac zbudowany został na planie prostokąta z dwoma wydatnymi ryzalitami od frontu i z owalnym salonem od strony skarpy, otwartym na zewnątrz jońską kolumnadą. Ściany tego salonu oraz inne pomieszczenia pałacyku ozdobił malowidłami Vincenzo Brenna, włoski architekt i malarz, sprowadzony do Polski przez zięcia księżny marszałkowej, Stanisława Kostkę Potockiego.

Księżna Izabella Lubomirska mało interesowała się Bażantarnią. W roku 1787 pozwoliła na użytkowanie posiadłości córce Aleksandrze i zięciowi Stanisławowi Kostce Potockiemu. Po objęciu przez nich w roku 1799 klucza wilanowskiego, a wraz z nim i Bażantarni, Potocki przystąpił niezwłocznie do przekształcania samego Wilanowa. Bażantarnią zajął się dopiero w rok po ślubie swego syna Aleksandra z Anną Tyszkiewiczówną (27 maja 1805), kiedy posiadłość przeznaczono na siedzibę letnią młodego małżeństwa. Wkrótce zmieniono jej nazwę na Natolin na cześć urodzonej w 1807 roku Natalii Potockiej. Wydarzenie to upamiętniono płytą z piaskowca (umieszczoną przy podjeździe do pałacu), na której wyryto następujący wiersz:

O imię lasku tego, mówią, że przed laty
Zdobiące go spór wiodły między sobą kwiaty:
Każdy z swych wdzięków własne prawo sobie rości,
Nawet skromny fijołek róży coś zazdrości;
Wtem świeższa Natalia wpośród nich się rodzi,
Gaj zowią Natolinem i kłótnia się godzi.

Roboty rozpoczęte w Bażantarni w roku 1806 objęły także otoczenie pałacu. Wybudowano piętrową klasycystyczną oficynę (1806–1808), przystąpiono do przekształcania parku, w latach 1808–1809 wzniesiono budynek stajni i wozowni, w latach 1810–1812 powstał wielki murowany taras na skraju skarpy za pałacem, a w 1812 roku na terenie parku dolnego, rozpoczęto budowę gotycko-klasycystycznej holenderni, którą ukończono w roku 1814. Obok Stanisława Kostki Potockiego niepoślednią rolę jako inicjatorka i niekiedy współtwórczyni tych wielkich przemian odegrała jego synowa, Anna z Tyszkiewiczów.
W latach 1807–1808 na terenie Natolina pracował Chrystian Piotr Aigner. Był projektantem wnętrz parterowych pałacu, tzw. amfiteatrów oraz wielkiego wazonu na tarasie i kilku mniejszych na słupkach ogrodzenia tarasowego od strony skarpy i od podjazdu, uczestniczył również w projektowaniu holenderni. Najprawdopodobniej również Chrystian Piotr Aigner zaprojektował klasycystyczne domki dozorców przy wjeździe od Wolicy i od Wilanowa, wzniesione w roku 1823.
Rozpoczęta w roku 1806 przebudowa pałacu dotyczyła początkowo zmiany dekoracji elewacji frontowej, którą ukształtowano na nowo przy użyciu porządku doryckiego, przez co naruszona została jednolita dotąd kompozycja czterech elewacji budowli. Z tego samego roku pochodzi również dekoracja sieni z doryckim fryzem wieńczącym ściany. Autorem tej przebudowy był zapewne Stanisław Kostka Potocki zajmujący się architekturą z amatorstwa. W tym samym czasie powstała dekoracja malarska apartamentów Anny Potockiej i jej męża Aleksandra.

Na przełomie 1807 i 1808 roku dekorację malarską Brenny wnętrz parterowych pałacu natolińskiego postanowiono zastąpić nową, sztukatorską. Anna Potocka zaangażowała zatem jednego z najlepszych sztukatorów w kraju, Wergiliusza Baumana, który według rysunków Chrystiana Piotra Aignera dekorował salon otwarty, salon bawialny, gabinet mozaikowy i salę jadalną. Wszystkie te wnętrza, wykończone nader starannie, reprezentują odcień dojrzałego klasycyzmu charakterystyczny dla początku XIX w. Można je z pewnością zaliczyć do najpiękniejszych wnętrz powstałych w Polsce w okresie klasycyzmu.
W roku 1820 Aleksander Potocki rozwiódł się z Anną z Tyszkiewiczów. Odtąd wyłącznym inicjatorem wszelkich zmian w Natolinie był Aleksander. Następny okres rozwoju rezydencji przypada na lata 1834–1838. Powstał wówczas pomnik jego córki Natalii Sanguszkowej, zmarłej w roku 1830. Posąg Natalii jest dziełem Ludwika Kaufmana, natomiast architektura pomnika przypisywana jest Henrykowi Marconiemu. Ten sam architekt zaprojektował most mauretański prowadzący do tego pomnika, świątynię dorycką, akwedukt rzymski i bramę mauretańsko-gotycką. W latach 1842–1845 przekształcono częściowo wnętrza pierwszego piętra pałacu. Dawnemu apartamentowi Anny Potockiej nadano charakter „etruski”.

SKLEPIENIE SALONU OWALNEGO
OVAL SALON CEILING
GEWÖLBE DES OVALEN SALONS

SALON OWALNY
OVAL SALON
OVALER SALON

Natolin aż do roku 1945 należał do dóbr wilanowskich. W drugiej połowie ubiegłego stulecia, kiedy stanowił własność Augusta Poniatowskiego, mało nim się interesowano. Podobnie rzecz się miała w XX w., kiedy należał do rodziny Branickich. Budynki i ozdoby parkowe nie były konserwowane, a chylące się do upadku rozbierano. Zrujnowaną holendernię zburzono tuż po pierwszej wojnie światowej.
Ostatnia wojna nie oszczędziła Natolina. W czasie powstania warszawskiego i w następnych miesiącach roku 1944 zdewastowały pałac wraz z otoczeniem stacjonujące tu wojska niemieckie.
W roku 1945 opiekę nad zespołem pałacowo-parkowym objęło Muzeum Narodowe w Warszawie. W następnych latach przeprowadzono gruntowny remont pałacyku i przeznaczono go na cele reprezentacyjne. Dziś piękna rezydencja pozostaje nadal niedostępna dla zwiedzających, użytkowana jest bowiem przez filię działającego w Polsce Collège d'Europe.

Bażantarnia (Pheasant Farm), later Natolin, is a beautiful locality near Wilanów, known for an extensive landscape park and a neoclassical palace erected at the edge of a terrace topping the old Vistula escarpment. During the reign of John III Sobieski pheasants were kept here; hence the old Polish name, which survived until the beginning of the 19th century. In 1780–1783, Prince August Aleksander Czartoryski, then owner of Wilanów, initiated the construction of a small neoclassical palace, built to designs by Szymon Bogumił

ELEWACJA FRONTOWA · FACADE · VORDERANSICHT

Zug. After the Prince's death in 1782, his daughter Princess Izabella Lubomirska continued the construction. In 1799, the Wilanów estate, and the Bażantarnia with it, became the property of Aleksandra Lubomirska, daughter of Princess Izabella and wife of Count Stanisław Kostka Potocki. The latter embarked upon a transformation of the residence in 1806. The locality name was changed to Natolin after Potocki's granddaughter. At this time, a classicistic block of stables and carriage house was built next to the palace; the palace front was shaped anew and architect the Chrystian Piotr Aigner designed a new interior for the ground floor of the palace. This redecoration was done by the excellent Warsaw stucco workshop of Wergiliusz Bauman. Further changes in the Natolin complex were introduced by Count Aleksander Potocki, son of Stanisław Kostka Potocki. The complex fortunately avoided destruction during the Second World War. After the war, it was painstakingly restored and used as an official goverment residence. Currently, it houses the Polish division of the College d'Europe.

Die Fasanerie, das spätere Natolin, ist ein wunderschönes Fleckchen Erde unweit von Wilanów, bekannt durch ein kleines, am Rande der Terrasse der ehemaligen Weichselböschung erbautes neoklassizistisches Palais und den großen, sich zu dessen Füßen erstreckenden Landschaftspark. Unter König Johann III. Sobieski wurden hier Fasanen gehalten, und daher rührt der Name, der sich bis zum Beginn des 19. Jh. gehalten hat. 1780–1783 wurde auf Initiative von Fürst August Aleksander Czartoryski, dem damaligen Besitzer von Wilanów, nach einem Entwurf von Simon Gottlieb Zug am Rande der Böschung das kleine neoklassizistische Palais errichtet. Als der Fürst 1782 starb, wurden die Fertigstellungsarbeiten von seiner Tochter, der Fürstin Izabella Lubomirska, fortgesetzt. Die Güter von Wilanów gingen 1799 zusammen mit der Fasanerie in den Besitz von Aleksandra Lubomirska, der Tochter der Fürstin Izabella, über, die mit dem Grafen Stanisław Kostka Potocki verheiratet war. Der begann 1806 mit der Umgestaltung des Landsitzes. Der Ort wurde nach der Enkelin des Grafen in Natolin umbenannt. Erbaut wurden u.a. das Wirtschaftsgebäude neben dem Palais, die Ställe und die Remise. Neu gestaltet wurde die Fassade des Palais, und der Architekt Christian Peter Aigner entwarf eine neue Innenausstattung der Räume im Erdgeschoß, die der ausgezeichnete Warschauer Stukkateur Wergiliusz Bauman dann ausführte. Weitere Veränderungen erfolgten in Natolin, als der Komplex dem Grafen Aleksander Potocki, dem Sohn Stanisław Kostkas, gehörte. Im zweiten Weltkrieg entging die Anlage glücklicherweise allen Zerstörungen. Nach dem Kriege wurde der gesamte Komplex gründlich überholt und diente Repräsentationszwecken. Gegenwärtig ist dort die in Polen wirkende Filiale des College d'Europe untergebracht.

„POKÓJ ETRUSKOWY" NA I PIĘTRZE
THE "ETRUSCAN ROOM" ON THE FIRST FLOOR
ETRUSKISCHES ZIMMER IM ERSTEN STOCK

SALON BAWIALNY
DRAWING ROOM
GROSSER SALON

JADALNIA
DINING ROOM
SPEISEZIMMER

ŚWIĄTYNIA GRECKA
THE GREEK TEMPLE
GRIECHISCHER TEMPEL

Pałac króla Jana III Sobieskiego w Wilanowie
The Palace of King John III Sobieski in Wilanów
Palast König Johann III. Sobieskis in Wilanów

Pałac króla Jana III Sobieskiego w Wilanowie
The Palace of King John III Sobieski in Wilanów
Palast König Johann III. Sobieskis in Wilanów

Dzieje kształtowania się okazałego zespołu pałacowo-parkowego Wilanowa są długie i skomplikowane. Niegdyś była to rezydencja podmiejska króla Jana III, dziś wchłonięta przez miasto, znajduje się na jego południowym skraju.
Król Jan III Sobieski wszedł w posiadanie Wilanowa, zwanego jeszcze Milanowem, 23 kwietnia 1677 rok. Znajdowały się tam fundamenty ziemiańskiego dworu, którego budowę rozpoczęto w połowie XVII stulecia, kiedy właścicielem wsi był podkanclerzy koronny Rafał Leszczyński. Budowę własnej siedziby na już istniejących fundamentach król rozpoczął w maju 1677 roku, a robotami budowlanymi kierował Augustyn Locci, inżynier w służbie królewskiej. Pierwszy etap kształtowania się przyszłego pałacu został zakończony w roku 1679. Powstał wówczas niewielki parterowy dwór ziemiański z alkierzami na narożach, nakryty wysokim dachem. Niebawem, bo w latach 1681–1682 nastąpiła przebudowa i rozbudowa tego dworu. Podwyższono go o półpiętro, dodano po bokach dwie kwadratowe wieże-skarbce, które połączono z korpusem głównym otwartymi na przestrzał galeriami. Elewację frontową korpusu rozczłonkowano pilastrami i półkolumnami podtrzymującymi trójkątny fronton zwieńczony posągiem Minerwy. Przy dekoracji przekształconej siedziby pracowali m.in. dwaj miejscowi sztukatorzy

ANTYKAMERA KRÓLA · THE KING'S ANTECHAMBER · ANKLEIDEZIMMER DES KÖNIGS

Jan i Antoni oraz kamieniarze włoscy Francesco Cerisola i Santino Madernati. Kwadratowe wieże zwieńczone były balustradą z kamiennymi, importowanymi z Amsterdamu, posągami muz w narożach.
Na lata 1684–1696 przypada trzeci etap rozbudowy siedziby królewskiej. Nad środkową częścią korpusu głównego nadbudowano wówczas wysokie drugie piętro i zwieńczono je posągami muz zdjętymi ze wspomnianych już kwadratowych wież-skarbców. Elewacje frontowe alkierzy zwieńczono attykami z płaskorzeźbami wyobrażającymi wojenne czyny Jana III autorstwa rzeźbiarza gdańskiego Stefana Szwannera. Płaskorzeźby wypełniające archiwolty galerii łącznikowych również są dziełem tego artysty. W wyniku tej przebudowy zniknął ostatecznie staropolski dwór ziemiański, który przedzierzgnął się teraz w barokową willę rzymską. Do zrealizowania bogatego programu dekoracyjnego wnętrz pałacowych król Jan III powołał pracownię malarską. Należeli do niej m.in. Francuz Claude Callot, Włosi – Michelangelo Palloni i Martino Altomonte oraz dwaj stypendyści królewscy – Jerzy Eleuter Szymanowicz-Siemiginowski i Jan Reisner. Obok malarzy pracował wówczas w Wilanowie duży zespół rzeźbiarsko-sztukatorski kierowany przez Włocha – Józefa Bellotiego. Król Jan III zmarł w Wilanowie 17 czerwca 1696 roku. W wyniku działów rodzinnych,

WIELKA SALA JADALNA AUGUSTA II · THE GRAND DINING ROOM OF AUGUSTUS II · GROSSER SPEISESAAL AUGUSTS II.

w trzy lata później współdziedzicami rezydencji stali się dwaj młodsi synowie króla: Aleksander i Konstanty. Zapewne w tym samym roku 1699 królewicz Aleksander przystąpił do wznoszenia prostopadłych skrzydeł bocznych. Walka o tron polski i wojna północna wstrzymały roboty, a zawiedziony w nadziejach dynastycznych królewicz Aleksander wyjechał do Rzymu, gdzie zmarł w 1714 roku. Jedynym właścicielem Wilanowa stał się wówczas królewicz Konstanty Sobieski, który 2 lipca 1720 roku sprzedał dobra wilanowskie wraz z pałacem Elżbiecie z Lubomirskich Adamowej Sieniawskiej, hetmanowej wielkiej koronnej.

Elżbieta Sieniawska w latach 1720–1729 kontynuowała rozbudowę pałacu, zapoczątkowaną przez królewicza Aleksandra Sobieskiego. Wzniesione w tym czasie skrzydła boczne według projektu Giovanniego Spazzia stały się doskonałym dopełnieniem siedziby już istniejącej. Dzięki nim dotychczasowa barokowa willa rzymska przemieniła się w reprezentacyjny pałac z wielkim dziedzińcem honorowym. Całością prac budowlanych kierował Józef Fontana. Po śmierci Spazzia w roku 1726 rolę nadwornego projektanta objął wybitny architekt Jan Zygmunt Deybel. Elewacje frontowe obu skrzydeł bocznych ozdobiono w latach 1725–1730 rzeźbami alegorycznymi i sztukateriami przedstawiającymi epizody bitew i sceny z *Metamorfoz* Owidiusza. Autorami ich byli: wybitny rzeźbiarz Jan Jerzy Plersch oraz włoscy sztukatorzy Francesco Fumo i Pietro Innocente Comparetti, którzy wraz z malarzem włoskiego pochodzenia Józefem Rossim pracowali również przy dekoracji wnętrz.

Po śmierci Elżbiety Sieniawskiej w 1729 roku Wilanów odziedziczyła jej córka Maria Zofia Denhoffowa. Kontynuując prowadzone przez matkę dzieło rozbudowy, kazała przekształcić niektóre wnętrza w pałacu i powiększyć, według projektu Jana Zygmunta Deybla, skrzydło południowe. Pod koniec roku 1730 na skutek usilnych zabiegów króla Augusta II oddała mu w dożywocie Wilanów w zamian za pałac Błękitny przy ulicy Senatorskiej, o czym była już mowa. Król podczas trzyletniego władania Wilanowem zdołał tylko dokończyć rozbudowę skrzydła południowego, w którym mieściła się wielka jadalnia pałacowa.

Po śmierci Augusta II w 1733 roku Wilanów powrócił do Marii Zofii z Sieniawskich Denhoffowej secundo voto Augustowej Czartoryskiej. Z inicjatywy Czartoryskich na miejscu rozebranego starego kościoła

POKÓJ WIELKI KARMAZYNOWY
THE GRAND CRIMSON ROOM
GROSSES KARMESINZIMMER

ŁAZIENKA KS. IZABELLI LUBOMIRSKIEJ ▶
THE BATHROOM OF PRINCESS IZABELLA LUBOMIRSKA
BAD DER FÜRSTIN IZABELLA LUBOMIRSKA

SUPRAPORTA Z POGONIĄ I HERBEM JANINA
OVERDOOR WITH THE ARMS OF LITHUANIA AND OF KING JOHN III SOBIESKI
SOPRAPORTE MIT POGOŃ- UND JANINA-WAPPEN

FRAGMENT ELEWACJI SKRZYDŁA PÓŁNOCNEGO ►
PART OF THE NORTHERN WING FRONT
TEILANSICHT DER FASSADE DES NORDFLÜGELS

parafialnego wybudowano w 1772 roku nowy, murowany, skomponowany w duchu późnego baroku przez Jana Kotelnickiego. W latach 1775–1778 wzniesiono według projektu Szymona Bogumiła Zuga klasycystyczny pawilon łazienki (przylegający od zachodu do południowego skrzydła pałacu) oraz oficynę kuchenną i kordegardę. Inicjatorką budowy tych trzech pawilonów była księżna Izabella z Czartoryskich Lubomirska, córka Marii Zofii i Augusta, która stała się właścicielką Wilanowa w roku 1778. U schyłku XVIII stulecia księżna Izabella obrała na swą główną rezydencję Łańcut, a dobra wilanowskie przekazała w 1799 roku córce Aleksandrze, zamężnej ze Stanisławem Kostką Potockim.
Hrabia Stanisław Kostka Potocki, czołowy działacz polskiego Oświecenia, pierwszy polski historyk sztuki, archeolog i architekt amator, pisarz i kolekcjoner, otworzył w pałacu wilanowskim muzeum dostępne dla publiczności. Zbiory dzieł sztuki były eksponowane w skrzydle północnym i w przylegającej doń neogotyckiej galerii zaprojektowanej przez Potockiego wspólnie z Chrystianem Piotrem Aignerem, wzniesionej w 1802 roku. Z inicjatywy Stanisława Kostki powstała biblioteka i archiwum, pod jego kierunkiem przekształcono park otaczający pałac. Bez większych zmian pozostawiono istniejący już od dawna dwupoziomowy regularny ogród od strony wschodniej i prostokątne pasmo przy skrzydle północnym, pozostałą część parku przekomponowano na sposób angielski, wykorzystując walory krajobrazowe. Park ten rozciągał się teraz w kierunku północnym wzdłuż jeziorka. Na terenie nowego założenia wzniesiono w latach 1806–1821 Altanę Chińską, Most Rzymski i wzorowany na grobowcach antycznych pomnik bitwy raszyńskiej, z którym łączyła się widokowo romantyczna ruina rzekomo starożytnej bramy wzniesiona około roku 1806 na terenie wsi. Na południe od pałacu powstała wówczas neogotycka Holendernia, stanowiąca fragment folwarku, zaprojektowana około roku 1811 przez Potockiego i Aignera.
Po śmierci Stanisława Kostki Potockiego w roku 1821 prace nad upiększeniem Wilanowa kontynuowali syn Aleksander i wnuk August. W roku 1836 powstał na południe od kościoła neogotycki pomnik grobowy Stanisława Kostki i Aleksandry Potockich, projektowany przez Henryka Marconiego i ozdobiony rzeźbami przez Jakuba Tatarkiewicza i Konstantego Hegla. W latach 1845–1855 znany warszawski architekt włoskiego pochodzenia Franciszek Maria Lanci dokonał na polecenie Augusta Potockiego przebudowy i rozbudowy rezydencji. Przekształcono wówczas m.in. skrzydło północne pałacu: na miejscu rozebranej neogotyckiej galerii powstał nowy trakt pomieszczeń z neorenesansową elewacją od północy. Wnętrze tego skrzydła otrzymały wtedy dekorację w duchu neorenesansu, neoregencji i neobaroku. Lanci skomponował również wielką pergolę na przedłużeniu skrzydła północnego, według jego projektu wzniesiono m.in. ujeżdżalnię, wozownie, most przy bramie pałacowej, domek dozorcy i karczmę – wszystkie te budowle skomponowane były w duchu neorenesansu.
Największą inwestycją dokonaną przez Potockich w Wilanowie była gruntowna przebudowa późnobarokowego kościoła dokonana w latach 1857–1870 według projektu Henryka i Leandra Marconich. Nowo ukształtowana świątynia otrzymała wówczas kostium późnorenesansowy.
W roku 1892 drogą zapisu testamentowego Aleksandry Augustowej Potockiej dobra wilanowskie przeszły w ręce jej kuzyna, hr. Ksawerego Branickiego, a następnie jego syna Adama, w którego posiadaniu pozostawały do roku 1945. W latach 1893–1906 rozpoczęto restaurację pałacu pod kierunkiem Władysława Marconiego, potem w latach 1918–1922 przez Kazimierza Skórewicza i w latach 1922–1929 przez Jarosława Wojciechowskiego. W czasie drugiej wojny światowej wywieziono z pałacu najcenniejsze obiekty jego wyposażenia, dewastacji

Pałac króla Jana III Sobieskiego w Wilanowie
The Palace of King John III Sobieski in Wilanów
Palast König Johann III. Sobieskis in Wilanów

SURAPORTA Z SYBILLĄ NA ELEWACJI OGRODOWEJ
OVERDOOR WITH SYBIL IN THE GARDEN FRONT
SOPRAPORTE MIT SIBYLLE AN DER FASSADE ZUM GARTEN HIN

WIDOK OD OGRODU
VIEW FROM THE GARDEN
ANSICHT VOM GARTEN HER

uległ park i znajdujące się w nim budowle. Po wojnie zabytkowy zespół Wilanowa objęło Muzeum Narodowe w Warszawie. Pałac poddano restauracji (pierwszy etap prac przypadł na lata 1955–1962), w tym samym czasie przystąpiono do żmudnej rewaloryzacji parku. Dzięki akcji rewindykacyjnej powróciła do pałacu większość wywiezionych przez Niemców przedmiotów artystycznych. Do najważniejszych inwestycji powojennych należy z pewnością budowa nowoczesnego pawilonu Muzeum Plakatu (1966–1968) na miejscu dawnej ujeżdżalni zaprojektowanej przez Lanciego, z której pozostawiono tylko fasadę. Dziś wilanowski zespół pałacowo-parkowy odwiedzany jest codziennie przez rzesze turystów z kraju i ze świata.

King John III Sobieski acquired Wilanów in April 1677 and shortly embarked upon the construction of his own residence on the extant foundations of a nobleman's manor. The building work and enlargement of the new residence under the supervision of Augustyn Locci lasted until the death of the king in 1696. In 1720–1729, Elżbieta Sieniawska, then owner of Wilanów, had the wings added to the palace; they were designed by Giovanni Spazzio. In 1730–1733, while the estate belonged to King Augustus II of Saxony, the southern wing was enlarged to plans made by Jan Zygmunt Deybel. The neoclassical bathing pavilion was erected in 1775–1778 to designs by Szymon Bogumił Zug (the pavilion is attached to the southern wing of the palace); the kitchen building and guardhouse were also added at this time. This rebuilding was initiated by Izabella Czartoryska, the Princess Lubomirska, who was the next owner of Wilanów. The next rebuilding of the palace came in 1802 when the northern wing was extended to include a neo-gothic gallery designed by Chrystian Piotr Aigner and Count Stanisław Kostka Potocki. This wing was rebuilt once again in 1845–1855; instead of the gallery, which was dismantled, architect Franciszek Maria Lanci built a new set of rooms with a neo-Renaissance elevation. Fortunately, the Wilanów palace escaped destruction during the Second World War. After the war, it was painstakingly restored to its former beauty.

König Johann III. Sobieski gelangte im April 1677 in den Besitz von Wilanów und begann bald darauf mit dem Bau einer eigenen Residenz auf den vorhandenen Fundamenten eines Landsitzes. Bau und Ausbau der neuen Residenz dauerten, geleitet von Baumeister Agostino Locci, bis 1696, d.h. bis zum Tode des Königs. 1720–1729 bekam der Palast auf Initiative von Elżbieta Sieniawska, der damaligen Eigentümerin von Wilanów, Seitenflügel nach einem Entwurf von Giovanni Spazzio. 1730–1733 wurde für König August II., der damals Herr von Wilanów war, der Südflügel nach einem Entwurf von Johann Sigismund Deybel weiter ausgebaut. In den Jahren 1775–1778 errichtete man nach Entwürfen von Simon Gottlieb Zug das an den Südflügel des Palastes angrenzende neoklassizistische Badehaus sowie das Küchengebäude und die Torwache, beide im selben Stil gehalten. Die Anregung für diesen Ausbau stammte von Fürstin Izabella Lubomirska, geb. Czartoryska, der nächsten Besitzerin von Wilanów. Ein weiterer Ausbau erfolgte 1802, als der Nordflügel um eine von Christian Peter Aigner und Graf Stanisław Kostka Potocki entworfene neugotische Galerie erweitert wurde. Dieser Flügel wurde 1845–1855 nochmals umgebaut. Anstelle der abgerissenen neugotischen Galerie errichtete der Architekt Francesco Maria Lanci eine neue Zimmerflucht und schmückte sie mit einer neuen Neorenaissancefassade. Im zweiten Weltkrieg blieb Schloß Wilanów glücklicherweise unversehrt, und nach dem Krieg hat man es sorgfältig restauriert.

SPIS PAŁACÓW

s. 8 *Pałac Komisji Rządowej Przychodów i Skarbu*
plac Bankowy 5

12 *Pałac Ministrów Skarbu*
plac Bankowy 3

14 *Pałac Błękitny*
ulica Senatorska 37

16 *Pałac Przebendowskich (Radziwiłłów)*
aleja Solidarności 62

18 *Pałac Mostowskich*
ulica Nowolipie 2

19 *Pałac Lubomirskich*
plac Za Żelazną Bramą

22 *Pałac Janaszów (Czackich)*
ulica Zielna 49

24 *Pałac Raczyńskich*
ulica Długa 7

28 *Pałac Pod Czterema Wiatrami*
ulica Długa 38/40

30 *Pałac Sapiehów*
ulica Zakroczymska 6

32 *Pałac Krasińskich (Rzeczypospolitej)*
plac Krasińskich

38 *Pałac Potockich*
w Jabłonnie

42 *Pałac Biskupów Krakowskich*
ulica Miodowa 5

44 *Pałac Młodziejowskiego*
ulica Miodowa 10, ulica Podwale 7/9

48 *Pałac Branickich*
ulica Podwale 3/5, ulica Miodowa 8

52 *Pałac Paca*
ulica Miodowa 15

58 *Pałac Borchów (Arcybiskupi)*
ulica Miodowa 17/19

62 *Pałac Małachowskich*
ulica Senatorska 11

64 *Pałac Prymasowski*
Senatorska 13/15

66 *Pałac Mniszchów*
ulica Senatorska 38/40

67 *Pałac Blanka*
ulica Senatorska 14

70 *Pałac Pod Blachą*
plac Zamkowy 2

s. 74 *Pałac Prezydencki (Koniecpolskich, Radziwiłłów)*
ulica Krakowskie Przedmieście 46/48

84 *Pałac Tyszkiewiczów*
ulica Krakowskie Przedmieście 32

90 *Pałac Uruskich (Czetwertyńskich)*
ulica Krakowskie Przedmieście 30

92 *Pałac Kazimierzowski*
ulica Krakowskie Przedmieście 26/28

96 *Pałac Wesslów*
ulica Krakowskie Przedmieście 25

98 *Pałac Potockich*
ulica Krakowskie Przedmieście 15

102 *Pałac Czapskich*
ulica Krakowskie Przedmieście 5

106 *Pałac Staszica*
ulica Nowy Świat 72

110 *Pałac Gnińskich (Zamek Ostrogskich)*
ulica Tamka 41

114 *Pałac Zamoyskich*
ulica Foksal 1/2/4

118 *Pałac Rembielińskich*
Aleje Ujazdowskie 6a

120 *Pałac Sobańskich*
Aleje Ujazdowskie 13

121 *Pałac Śleszyńskich*
Aleje Ujazdowskie 25

122 *Pałac Elizy Wielopolskiej*
Aleje Ujazdowskie 15

124 *Pałac króla Stanisława Augusta w Łazienkach*

138 *Pałac Belweder*
ulica Belwederska 1

142 *Pałac Lubomirskich (Szustra)*
ulica Puławska 55/57

146 *Pałac Królikarnia*
ulica Puławska 113A

150 *Pałac Krasińskich*
w Ursynowie

154 *Pałac Potockich*
w Natolinie

162 *Pałac króla Jana III Sobieskiego*
w Wilanowie

PALACE INDEX

p. 8 *The Palace of the Governmental Income and Treasury Commission*
5 Bankowy Square

12 *The Palace of the Minister of the Treasury*
Bankowy Square

14 *The Blue Palace*
37 Senatorska Street

16 *The Przebendowski Palace*
62 Solidarności Avenue

18 *The Mostowski Palace*
2 Nowolipie Street

19 *The Lubomirski Palace*
Za Żelazną Bramą Square

22 *The Janasz (Czacki) Palace*
49 Zielna Street

24 *The Raczyński Palace*
7 Długa Street

28 *The Palace of the Four Winds*
38/40 Długa Street

30 *The Sapieha Palace*
6 Zakroczymska Street

32 *The Krasiński (Polish Commonwealth) Palace*
Krasińskich Square

38 *The Potocki Palace*
in Jabłonna

42 *The Palace of the Cracow Bishops*
5 Miodowa Street

44 *The Młodziejowski Palace*
10 Miodowa, 7/9 Podwale streets

48 *The Branicki Palace*
3/5 Podwale, 8 Miodowa streets

52 *The Pac Palace*
15 Miodowa Street

58 *The Borch (Archiepiscopal) Palace*
17/19 Miodowa Street

62 *The Małachowski Palace*
11 Senatorska Street

64 *The Primate's Palace*
13/15 Senatorska Street

66 *The Mniszech Palace*
38/40 Senatorska Street

67 *The Blank Palace*
14 Senatorska Street

p. 70 *The Palace Under-the-Tin-Roof*
2 Zamkowy Square

74 *The Presidential Palace (Koniecpolski, Radziwiłł)*
46/48 Krakowskie Przedmieście Street

84 *The Tyszkiewicz Palace*
32 Krakowskie Przedmieście Street

90 *The Uruski (Czetwertyński) Palace*
30 Krakowskie Przedmieście Street

92 *The Kazimierzowski Palace*
26/28 Krakowskie Przedmieście Street

96 *The Wessel Palace*
25 Krakowskie Przedmieście Street

98 *The Potocki Palace*
15 Krakowskie Przedmieście Street

102 *The Czapski Palace*
5 Krakowskie Przedmieście Street

106 *The Staszic Palace*
72 Nowy Świat Street

110 *The Gniński Palace (Ostrogski Castle)*
41 Tamka Street

114 *The Zamoyski Palace*
1/2/4 Foksal Street

118 *The Rembieliński Palace*
6a Ujazdowskie Avenue, 10 Piękna Street

120 *The Sobański Palace*
13 Ujazdowskie Street

121 *The Śleszyński Palace*
25 Ujazdowskie Street

122 *The Palace of Eliza Wielopolska*
15 Ujazdowskie Street

124 *The Palace of King Stanislaus Augustus*
in Łazienki

138 *The Belweder Palace*
1 Belwederska Street

142 *The Lubomirski (Szustra) Palace*
55/57 Puławska Street

146 *The Królikarnia Palace*
113A Puławska Street

150 *The Krasiński Palace*
in Ursynów

154 *The Potocki Palace*
in Natolin

162 *The Palace of King John III Sobieski*
at Wilanów

VERZEICHNIS DER PALÄSTE

S. 8 *Palast der Regierungskommission für Einnahmen und Schatzangelegenheiten*
Bankowy-Platz 1

12 *Palast der Schatzminister*
Bankowy-Platz 3

14 *Blauer Palast*
Senatorska-Straße 37

16 *Przebendowski- oder Radziwiłł-Palais*
Solidarności-Allee 62

18 *Mostowski-Palast*
Nowolipie-Straße 2

19 *Lubomirski-Palast*
Za-Żelazną-Bramą-Platz

22 *Janasz- oder Czacki-Palast*
Zielna-Straße 49

24 *Raczyński-Palast*
Długa-Straße 7

28 *Palast Zu den vier Winden*
Długa-Straße 38/40

30 *Sapieha-Palast*
Zakroczymska-Straße 6

32 *Krasiński-Palast oder Palast der Adelsrepublik*
Krasiński-Platz

38 *Potocki-Palais*
in Jabłonna

42 *Palast der Krakauer Bischöfe*
Miodowa-Straße 5

44 *Młodziejowski-Palast*
Miodowa-Straße 10, Podwal-Straße 7/9

48 *Branicki-Palast*
Podwale-Straße 3/5, Miodowa-Straße 8

52 *Pac-Palast*
Miodowa-Straße 15

58 *Borch- oder Erzbischofspalast*
Miodowa-Straße 17/19

62 *Małachowski-Palast*
Senatorska-Straße 11

64 *Palast des Primas von Polen*
Senatorska-Straße 13/15

66 *Mniszech-Palast*
Senatorska-Straße 38/40

67 *Blank-Palais*
Senatorska-Straße 14

S. 70 *Palast unter dem Blechdach*
Zamkowy-Platz 2

74 *Präsidentenpalast oder Konieckolski- bzw. Radziwiłł-Palast*
Krakowskie-Przedmieście-Straße 46/48

84 *Tyszkiewicz-Palast*
Krakowskie-Przedmieście-Straße 32

90 *Uruski- oder Czetwertyński-Palais*
Krakowskie-Przedmieście-Straße 30

92 *Kazimierzowski-Palast*
Krakowskie-Przedmieście-Straße 26/28

96 *Wessel-Palais*
Krakowskie-Przedmieście-Straße 25

98 *Potocki-Palast*
Krakowskie-Przedmieście-Straße 15

102 *Czapski-Palast*
Krakowskie-Przedmieście-Straße 5

106 *Staszic-Palast*
Nowy-Świat-Straße 72

110 *Gniński-Palast oder Ostrogski-Schloß*
Tamka-Straße 41

114 *Zamoyski-Palais*
Foksal 1/2/4

118 *Rembieliński-Palais*
Ujazdowskie-Allee 6a

120 *Sobański-Palais*
Ujazdowskie-Allee 13

121 *Śleszyński-Palais*
Ujazdowskie-Allee 25

122 *Eliza-Wielopolska-Palais*
Ujazdowskie-Allee 15

124 *Palais König Stanislaus Augusts*
im Łazienki-Park

138 *Belvedere*
Belwederska-Straße 1

142 *Lubomirski- oder Szuster-Palais*
Puławska-Straße 55/57

146 *Królikarnia-Palais*
Puławska-Straße 113a

150 *Krasiński-Palast*
in Ursynów

154 *Potocki-Palais*
in Natolin

162 *Palast König Johann III. Sobieskis*
in Wilanów

Na obwolucie
Pałac Krasińskich (Rzeczpospolitej)

Cover
View of The Krasiński (Polish Commonwealth) Palace

Auf dem Schutzumschlag
Krasiński-Palast oder Palast der Adelsrepublik

Wydawca: Jan Topolewski
Redaktor: Barbara Zwolanowska
Redaktor techniczny: Elżbieta Cholerzyńska
Tłumaczenie na język angielski: Iwona Zych
Tłumaczenie na język niemiecki: Siegfried Schmidt

ISBN 83-901007-8-9
Skład i łamanie: ANGO, Warszawa
Separacja kolorów, druk i oprawa: ZRINSKI, Chorwacja